KB218304

늦었지만, 괜찮았어!

늦었지만, 괜찮았어!

앤솔로지 작품집

글로서기

들어가는 글

내가 늘 가지고 다니는 다이어리 맨 앞장에는 버킷 리스트가 있다. 모두 서른다섯 개의 꿈 뭉치 들이다. 그중 스무 번째 목록에 <수필집 내기>가 있다. 이루고 싶지만, 당장은 아니라는 의미이고 내가 아직 글을 쓸 수 있는 역량이 부족하다는 뜻이겠다. 원래 인간은 결핍에 대한 갈망이 있기 마련이라 쓰기에 대한 어떠한 정보에도 나의 오감이 뾰족해졌다. 그렇게 글로서기의 일원이 되었고, 방현희 작가님을 만나게 되었다.

매주 화요일. 소란스럽던 해가 붉게 가라앉는 저녁이 되면 우리는 도서관에 모여 쓰기의 서사를 만들었다. 서로의 글을 쓰다듬고 탐닉했다. 무엇도 될 수 있는 자유를 누렸다. 어떤 날은 이야기를 통해 정체된 고통을 쏟아내는 후련함을 맛보기도 했다. 글이 글로써 존재한다기보다 사람의 인생을 통해 완성됨을 조금씩 알게 되었다. 우리는 생명의 형태인 시간을 서로 교환했기에 끈끈했다. 그리고 함께였기에 쓸 수 있었다. 방현희 작가님은 심리학자였고, 카운슬러였고, 탁월한 이야기꾼이었다. 우리는 울었고, 웃었다. 쓰기의 뒷모습만 보다가 겨우 앞모습을 보려는 찰나, 그렇게 8주가 지나가 버렸다.

8주의 시간은 우리 모두에게 필수 불가결한 시간이었다고 믿는다. 시간이 갈수록 우리의 글은 무르익었고, 각자의 향기를 갖게 되었다. 처음에는 망설였던 이야기도 자신감을 가지고 쓸 수 있게 되었다. 글은 엉덩이로 쓰는 거라는 말을 실감했다. 쓰면 쓸수록 좋아지는 마법 같은 시간을 겪었다. 앞으로도 꾸준히 글을 쓸 수 있는 밑거름이 되었다고 생각한다. 나도 그렇다. 이렇게 긴 시간 동안 깊게 나의 이야기를 마주해 본 것이 처음이다. 올해 들어 나에게 제일 칭찬해 주고 싶은 일이다. 대단한 작품은 아니지만 쓰기에 대한 열망으로 뭉친 사람들이 풀어내는 이야기라 생각하고 너그러이 읽어주시면 감사하겠다. 혹시 아는가? 응원에 힘입어 우리 중 누군가가 훗날 노벨 문학상을 거머쥐게 되는 큰 작가가 될지 말이다. 그렇게 야무진 꿈을 꾸며 부족한 작품을 내놓는다.

단 한 사람의 낙오도 없이 끝까지 완주할 수 있어서 기쁘다. 근면한 동기님들께 폐가 되지 않으려 더욱 열심을 다 했다. 모두 같은 마음일 것이다. 함께 할 수 있어서 너무 행복했다고, 덕분에 많이 배웠다고 두 손 모아 고마운 마음을 전한다. 맛없는 글도 맛있다고 칭찬해 주신 방현희 작가님께도 머리 숙여 감사 인사를 올린다. 그래서 더 맛있는 글을 쓰고 싶다는 열망을 갖게 되었다고 말씀드리고 싶다. 쓴다는 것의 두려움에서 기쁨을 맛볼 수 있게 기회를 주신 연무도서관에도 감사 인사를 드린다.

여름을 한참 비켜나서도 내내 힘들게 했던 더위가 이제 정말 물러난 것 같다. 하늘은 높고 풀벌레 소리가 정겹다. 또 뭔가를 써야 할 것 같다. 시작은 미약하나 그 끝은 창대한 글로서기 연무 1기가 되기를 기대해 본다.

2024년 가을

이유정 씀

일러두기

소설에 언급되는 인명, 지명, 관서명, 상표명, 사건 내용 및 설정 등은 작가가 만들어낸 허구로 실제와 무관합니다.

차례

| 01 |

떠돌이 개들의 삶 외 2편

가림

에세이

가림

앞으로 남아 있는 삶을 어떻게 보낼 수 있을지 내가 하고 싶었던 일은 어떤 것이 었는지 나를 찾고 도전하고 배우고 있습니다. 하나의 글에 나를 다 담을 수는 없지만 쓰고 쓰다 보면 나를 알아갈 수 있는 시간이 될 수 있을 것 같습니다. 나는 나로서 행복하길 바라며 함께 공감하고 느낄 수 있길 바랍니다.

떠돌이 개들의 삶

하얀 입김이 콧등을 얼리는 추운 겨울밤 골목길을 빠져나와 가로 등불 빛에 비친 그곳에 무언가 꿈틀거리며 내 시선을 사로잡았다. 하얗고 덩어리진 생명체는 서로의 몸을 꼭 붙인 채로 온기를 나누듯 조금의 틈도 없이 붙어 있었고, 땅에서 올라오는 미미한 온기에 의지해 추운 겨울밤을 이겨 내고 있었다. 사람의 인기척에도 꿈쩍하지 않고, 마치 땅과 하나가 된 듯 그 자리 그곳에 가만히 누워 가끔 '낑낑' 소리만 낼 뿐이었다.

12월의 어느 추운 겨울밤 아들과 함께 동네 산책을 하기 위해 엘리베이터의 버튼을 눌렀다. 엘리베이터를 타고 내려와 공동현관문이 열리는 순간 차가운 겨울 공기가 얼굴을 스치며 볼과 귀가 순식간에 얼어붙는 것 같았다. 아들은 내 망설임을 눈치챘지만, 모르는 척 앞장서서 아파트와 동네 주택 사이의 좁은 골목으로 들어섰다. 아들의 부름에 이내 마음을 다잡고, 종종걸음으로 아들 뒤를 따라 나란히 걷기 시작했다.

좁은 골목을 따라 걷던 중, 아들이 갑자기 걸음을 멈추더니 고개를 갸웃거렸다. 아들의 시선을 따라가 보니 전에 있던 빈집이 허물어져 있었다. 읍 단위의 시골인 연무읍엔 골목마다 사람이 살지 않는 빈집들이 많아 밤이면 혼자 걷기가 꺼려지곤 했다. 그러던 중 논산시에서 1년 이상 거주하지 않거나 사용하지 않는 빈집을 무상 철거 해주는 사업을 시행한다는 소식을 접하게 되었다. 빈집철거로 골목이 시원하게 뻥 뚫려 어둡고 추운 날씨였지만 주변을 살피며 걷기에도 좋았다. 골목을 돌아 언덕길로 접어들자, 전에 빈집이었던 공간이 눈에 확 들어왔다. 가로등 불빛에 비친 공터를 바라보았을 때 일이다.

어? 순간 하얗고 덩어리진 무언가가 땅 위에서 꿈틀거리는 것이 보였다. '저게 뭐지?' 생각하던 중 아들이 내 팔을 잡아당겼다. "사람이 쓰러져 있는 거 아니야?" 아들의 소리에 '설마?' 하는 마음이지만 내 심장은 '쿵쾅쿵쾅' 뛰기 시작했다. '저 꿈틀거리며 움직이는 생명체는 무엇일까?' 무섭기도 했지만, '혹시나 사람일까?' 생명체라는 확신에 한 걸음 한 걸음 다가가 살폈다. 그리고 마침내 실체를 확인하는 순간, 나는 놀라움을 감추지 못했다.

'어머나! 세상에' 그것은 사람이 아닌 떠돌이 개들이었다. 개들은 몸을 움츠리고 머리가 보이지 않을 정도로 머리를 몸속에 파묻고 있었으며 셋, 둘씩 짝을 지어 서로의 온기를 나누고 있었다. 떠돌이 개들은 사람의 인기척에 잠시 눈을 뜨지만 이내 눈을 감으며 틈 사이로 스며드는 차가운 공기를 차단하듯 몸을 더욱 웅크렸다. 어린 새끼가 어미 품을 찾는지, 가냘픈 "낑낑" 소리가 간간이 들려왔을 뿐, 낮 동안 햇빛에 달궈진 땅 위 미지근한 온기에 의지해 서로의 털과 몸으로 땅을 감싸듯 그렇게 밤을 보내고 있었다.

'언제부터 여기에서 잠을 청했을까?'

동네 골목을 지나다 보면 종종 무리 지어 다니는 떠돌이 개들을 볼 수 있다. 한 마리가 아니라 여러 마리가 함께 있어 처음 마주칠 때는 무서운 생각이 들기도 했다. 그들을 마주치면 돌아가거나 멀리 떨어져서 개들이 먼저 지나가기를 기다린 적도 있었다. '그때 봤던 개들이 지금 이렇게 추위와 싸우며 서로의 온기에 의지해 이 밤을 보내고 있는 건 아닐까?' 그들의 몸짓은 마치 세상의 추위로부터 서로를 보호하려는 듯, 작고 연약한 생명체의 안쓰러운 저항처럼 느껴졌다.

빈집철거는 동네 사람들에게는 좋은 일이었지만 떠돌이 개들에게는 한순간에 살고 있던 집이 없어져서 막막하고 두려웠을 것 같다. 그래도 개들이 살던 집터의 냄새를 맡고 이곳이 안전하다고 느껴 보호막도 없는 그 공간 그 자리에 서로의 온기를 나누며 잠을 청한 건 아닐까? 가까이 다가가 입고 있던 옷이라도 벗어줘 나의 온기를 더 하고 싶었지만, 떠돌이 개라는 생각에 나를 물면 어쩌나 하는 두려움이 더 컸고 선뜻 다가가지 못하고 바라보고 있을 뿐이었다. 빈집철거를 조금만 늦게 했더라며 개들이 조금 더 따뜻한 곳에서 겨울을 보냈을까? 안타까운 마음이 들었다. 흉물이라고만 여겼던 빈집이 어쩌면 개들에게 사람들을 피해 한 마리, 두 마리 모여들어 가족을 이루고, 서로의 마음을 나누고 의지하며 자식을 낳고 키우며 따뜻하게 보낼 수 있었던 보금자리였을 것이다.

전에 지인이 키우던 진돗개가 새끼를 낳았는데 집안에서는 새끼를 찾을 수가 없었다고 한다. 어미 개만 집에 들어왔다 나갔다를 반복할 뿐이어서 어디에 새끼를 낳았는지 궁금했던 지인은 어미 개를 조심스럽게 따라가 보았다. 그랬더니 다 쓰러져 가는 폐가 아궁이에 강아지를 낳고 보살피고 있었다고 했다. 그때는 '야생 본능이 살아 있어서 그랬나 보다' 생각했는데 떠돌이 개들을 보니 '사람들이 살지 않는 빈집, 다 쓰러져 망가져 가는 곳이라도 사람의 손길이 닿지 않는 안전한 곳, 내 새끼를 안전하게 키울 수 있는 곳 바로 빈집이었구나….' 생각이 들었다. 떠돌이 개들도 비슷한 이유로 빈집이나 폐가를 선택했던 건 아닐까 싶다. 개들을 바라보며 생각에 잠긴 나의 어깨를 아들이 두드렸다. 안타까운 마음에 쉽게 발길이 떨어지지 않았지만, 아들을 따라 언덕을 향했다. 그렇게 아들과 산책을 마치고 집으로 돌아왔지만, 추운 겨울에 떨면서 잠을 청해야 할 개들이 계속 마음에 걸렸다.

다음 날 아침, 나는 급하게 세수를 하고 개들이 잘 자고 일어났는지 걱정이 되어 집에서 먹던 빵을 들고 다시 그곳을 찾았다. 다행히 개들은 그곳에 있었으며 몸을 일으켜 서로에게 잘 잤는지 묻는 듯 서로의 몸과 얼굴을 비비고 있었다. 그 옆에는 모자를 쓰고 허름한 옷차림을 한 아저씨께서 큰 그릇에 먹을 것을 가득 담아 주고 계셨다. 아저씨는 늘 그랬던 것처럼 먹을 것만 담아 주시곤 말없이 자리를 뜨셨다. 개들은 아저씨가 자리를 뜨자 음식을 먹기 시작했다. 음식을 먹던 개들은 아저씨의 떠나가는 뒷모습을 한 번씩 바라보며 고마운 마음을 전하듯 동그랗게 꼬리를 말아 흔들곤 했다. 나 또한 아저씨의 따뜻한 뒷모습에 조금이나마 걱정을 내려놓을 수가 있었다. '나보다 먼저 개들을 생각하고 챙겨주는 사람이 있었다니….' 아저씨가 가져온 푸짐한 음식은 내 손에 들여진 먹다 남은 빵 조각이 부끄러울 정도로 나 자신을 작아지게 만들었다.

아저씨의 뒷모습을 보며 예전에 내가 도움을 받았던 일이 떠올랐다. 고등학교 시절 친구와 함께 자취하던 중 집주인과의 갈등으로 하루아침에 집에서 쫓겨나 갈 곳 없이 혼자 거리를 배회하던 때였다. 그때 같은 반 친구를 우연히 만나 친구의 집에서 하룻밤을 신세 진 적이 있었다. 한겨울은 아니었지만, 갈 곳 없이 떠돌던 그 당시의 내 모습은 지금의 떠돌이 개들과 크게 다르지 않았을 것이다. 지금 생각해 보면 나에게 손을 내밀어 준 친구가 있었듯이, 개들에게도 비록 집은 허물어졌지만, 그 집에 남아 있는 따뜻했던 냄새와 온기, 그리고 개들을 생각해 주는 따뜻한 아저씨와 사람들의 관심이 추운 겨울을 이겨 내는 힘이 되어주고 있는 것 같다. 그래도 다행인 것은 혼자가 아닌 친구와 함께였다는 점이 조금은 마음이 놓인다. 함께라서 위험한 상황이 닥쳤을 때 서로 도와주며, 먹이를 발견하면 함께 나누고, 추울 때 온기를 나눠 줄 수 있는 친구가 있다는 것은 사람들에게도 큰 울림을 준다.

우리가 함께 살아가는 이 세상에는 보호받지 못하는 동물들이 많이 있다. '나무만 보지 말고 숲을 보라'는 말이 있다. 나는 여기에 '숲속에 사는 동물들도 함께 봐주면 좋을 것'이라는 말을 덧붙이고 싶다. 빈집 안에 있는 동물들도 바라봐줬다면 더없이 좋았을 것이란 생각을 하며, 우리는 주변의 작은 생명 들도 함께 돌보고 생각했으면 좋겠다. 우리의 작은 관심과 배려가 그들에게는 큰 힘이 될 수 있을 것으로 생각한다. 사람도 동물도 함께 살아가며 소외당하지 않길 바라본다.

피아노

섬에서 자란 소희는 열악한 환경 속에서 학교 가는 것 외에 다른 것을 배울 기회가 없었다. 소희네 초등학교 옆에는 작은 교회가 자리 잡고 있었다. 소희가 4학년이 되던 해에 교회 전도사님께서 새로 부임해 오셨다. 교회에 여러 대의 피아노가 같이 들여왔고 피아노를 잘 치는 사모님께서 아이들을 위해 소정의 금액을 받고 피아노를 가르쳐 주신다고 했다. 섬에 사는 아이들에게 사모님께서 가르쳐 주시는 피아노는 특별할 수밖에 없었다. 소식을 접한 부모님들과 아이들은 좋은 기회라고 생각했다. 아이들이 하나둘 피아노를 배우기 시작했고, 소희네 집에서는 언니가 먼저 피아노를 배우게 되었다. 소희도 함께 배우고 싶었지만, 집안 사정을 잘 알고 있던 소희는 언니가 피아노를 어느 정도 배울 때까지 묵묵히 차례를 기다려야만 했다.

소희 어머니는 "언니 피아노 그만두면 너도 보내 줄게" 말하며 피아노를 배우고 싶어 하는 소희를 달래셨고 소희는 그날이 오기만을 손꼽아 기다렸다. 언니는 이런 소희의 마음을 알기라도 한 것인지, 아니면 돈이 부족해 제때 내지 못한 수강료가 부끄러웠는지 어느 날 조용히 피아노를 그만뒀다. 하지만 소희의 기대와는 달리 소희 어머니는 밀린 수강료가 있어선지 선뜻 소희를 교회에 보내주지 않았다.

그렇게 1년이라는 시간이 흐르고서야 소희는 비로소 피아노를 배울 수 있게 되었다. 소희 어머니는 사모님께 "막내가 피아노를 배우고 싶어 하는데 밀린 수강료를 완납을 못 해서 정말 죄송해요" 말하며 사정을 이야기했고 다행히도 마음씨 좋은 사모님은 "괜찮아요, 보내 주세요" 전하며 돈보다는 피아노를 배우고 싶은 아이 마음을 먼저 헤아려 주셨다. 하지만 소희가 피아노를 6개월 배웠을 무렵, 아쉽게도 교회 전도사님과 사모님께서는 육지로 이사를 하시게 되었고 소희의 기대와는 달리 피아노를 더는 배울 수 없게 되었다.

소희는 어릴 적 배우지 못한 피아노에 대한 미련 때문인지 성인이 될 때까지 피아노를 볼 때면 '나도 멋지게 연주하고 싶은데' 하는 갈망과 욕구가 마음속에 솟아나는 것을 제어해야만 했다. 비록 오래 배우지는 못했지만 그래도 피아노를 배워본 적이 있다는 사실이 미련처럼 남아 계속해서 소희를 자극했다.

피아노를 치고 싶다는 소희는 서른 후반이 되어서야 피아노 학원 문을 두드렸다. 하지만 소희 마음과는 달리 속도가 나지 않았고, 나이 탓인지 피아노를 배운다는 것은 어릴 적 배웠던 만큼 쉽지 않았다. 손가락과 머리는 각각 협조하지 않고 따로따로 놀아 곡 하나를 제대로 익히는 것이 학원에 다니는 어린 친구들보다 시간이 오래 걸렸다. 옆자리에 앉은 6살짜리 아이의 능숙한 연주를 듣고 있자니 소희의 수준은 부끄러울 정도였다. 피아노 치는 것이 점점 자신이 없어진 소희는 그래도 어린 친구들 앞에서 창피함을 피하고 싶었다.

소희는 '안 되겠다! 그래도 창피함을 면하려면 집에서도 연습해야겠다.' 생각했고 피아노를 사야겠다고 마음먹었다. 여기저기 피아노 가격을 알아보는데, 세상에! 생각보다 가격이 너무 비쌌다. 소희는 자식을 키우며 자신을 위해 큰 금액을 투자한다는 것이 부담스러웠다. 소희는 고민하면 할수록 피아노를 갖고 싶다는 욕망은 더욱 커져만 갔고 소희 머릿속은 온통 피아노 생각으로 가득 찼다.

그러던 어느 날, 소희가 근무하는 어린이집 놀이터에서 아이들이 주고받는 이야기가 들려왔고, 소희의 귀를 번뜩이게 했다.

5살 남자아이는 여자아이에게 자랑스럽게 말했다. " 야, 우리 집에 피아노 있다!" 그러자 여자아이가 부러움을 표현하며 "와! 좋겠다. 나도 피아노 사준다고 했는데…. 너는 무슨 피아노 있어?" 여자아이는 남자아이의 피아노 이야기에 관심을 보이며 적극적으로 호응해 주었다. 소희는 자연스럽게 아이들의 피아노 이야기에 관심을 보이며 가까이 다가가 남자아이에게 말을 걸었다. "너 정말 좋겠다. 선생님도 피아노 갖고 싶은데 누가 사 줬어?" 순간 피아노가 있는 아이가 얼마나 부러운지 소희의 눈빛은 부러움과 동경으로 남자아이를 바라보았고, 그 아이 집에 가서 피아노 구경을 해보고 싶을 정도였다. 여자아이가 남자아이에게 "피아노 누가 사 줬어? 어떤 피아노야 ? " 하고 다시 물었다. 남자아이는 "엄마가 사줬어! 우리 집에 뽀로로 피아노 있는데 여러 가지 소리도 나고 노래도 나와 정말 좋아!"라고 했다. 그 순간, 소희는 뒤통수를 얻어맞은 듯한 기분이 들었다. '아, 뽀로로 피아노였구나.' 소희는 자신도 모르게 허탈한 웃음을 터뜨렸다.

순간 소희는 당황스러움이 고스란히 느껴졌다. 피아노를 갖고 싶다는 욕망에 얼굴이 화끈거릴 정도였다. 그렇다고 소희가 아이의 뽀로로 피아노를 하찮게 생각한 건 아니었다. 단지 자신의 욕망에 뒤통수를 얻어맞은 듯 '뽀로로 피아노란다. 어이구, 얼마나 갖고 싶었으면 뽀로로 피아노를 부러워했을까?'라는 생각이 머릿속을 스쳤고 피아노를 갖고 싶다는 자신의 욕망을 다시 한번 생각해 보는 계기가 되었다.

「욕망이란 부족함을 느껴 무엇을 가지거나 누리고자 탐함」이라고 한다. 누구나 마음속엔 자신이 원하는 욕망은 있다. 그것이 큰 것일 수도 있고 작은 것일 수도 있을 것이다. 누군가에게는 작은 것처럼 보이지만 자기 자신에게는 큰 것으로 생각되어 욕망이 채워졌을 때 행복감은 그 누구보다 크리라 생각한다. 갖지 못하게 되면 탐하게 된다는 것이 욕망이라더니 '어린아이의 뽀로로 피아노를 탐하고 있었구나…….' 생각하며 소희는 자신의 머리를 손으로 '콕' 쥐어박았다.

소희는 어렸을 때 배우지 못한 피아노가 욕망인지 미련인지 다시 한번 생각해 보았다. 자신에게 피아노가 꼭 필요한지 하는 것도 함께 생각해 보았다. 처음 피아노를 배우고 싶었던 갈망과 욕구는 피아노를 배우다가 자신의 의지와 상관없이 더 배우지 못한 미련으로 시작되었다. 피아노를 다시 배울 기회가 왔을 때 소희는 자기 뜻과 달리 피아노가 잘 쳐지지 않았고, 피아노를 잘 치지 못하는 자신이 부끄러웠다. 자존심이 상했던 소희는 피아노를 갖게 되면 피아노를 잘 칠 수 있겠다는 생각을 했다. 피아노의 가격으로 갈등했던 소희는 피아노를 어떻게든 갖고 싶다는 생각으로 욕망을 키웠다.

소희는 깊은 고민 끝에, 자신의 욕망과 미련을 이해하고, 현실적인 대안을 찾기로 했다. 가격이 저렴하면서도 연습에 적합한 디지털 피아노를 선택했다. 비록 일반 피아노의 손 느낌과 소리와는 달랐지만, 작은 공간에 딱 맞았고, 밤에도 소음 걱정 없이 연습할 수 있다는 점이 마음에 들었다. 소희는 디지털 피아노를 통하여 실력을 키우고 어릴 적 피아노를 쳤던 열정을 다시 이어갈 수 있다고 생각했다. 매일 꾸준히 연습하며 소희는 자신의 꿈을 향해 한 걸음 나아가기로 했다.

아버지의 작은 섬

그날 아침 아버지는 "내가 죽으면 꼭 원산도에 묻어다오" 말만 남긴 채 죽음을 맞이했다.

추석이 일주일 지난 고요한 주말 아침, 창문 너머로 들어오는 햇살이 소리의 얼굴을 부드럽게 비췄다. 잠든 소리의 숨결은 규칙적이고 안정적이었다. 가을 아침 찬 바람에도 불구하고 소리의 이불 속은 밤새 체온으로 달궈져 포근했고, 늦잠 자기에 딱 좋은 온도였다.

잠시 후 전화벨 소리가 고요한 아침의 평화를 깨며 날카롭고 선명하게 울려 퍼졌다. 벨 소리가 끊어질 때쯤 소리가 눈도 채 뜨지 못하고 더듬더듬 손으로 전화기를 찾아 귀에 가져갔다. 전화기

속에서 어머니의 다급한 목소리가 들렸다.

“소리야, 여기 병원인데 빨리 좀 와줄래?”

“지금? 왜? 또 무슨 일인데?”

잠에서 미처 깨어나지 못한 소리는 짜증 섞인 목소리로 대꾸를 했다. 소리의 물음에 어머니는 “그냥 묻지 말고 빨리 와줘” 말을 남긴 채 전화를 끊으셨다. 소리는 끊어진 전화기를 침대 바닥에 엎어 놓으며 ‘정말 지긋지긋하네! 언제까지 이래야 하는 건데’ 투덜거리며 자신의 머리를 휘어 감았다. 소리는 피로와 짜증이 가득 찬 얼굴로 힘겹게 이불을 걷어냈다. 무겁게 침대에서 일어선 소리는 급하게 세수를 하고 거울 앞에 섰다.

알코올 중독인 아버지….

술을 한번 입에 가져다 대면 멈추지 않고 하루고 이틀이고 어떨 때는 한 달 내내 술을 마셔야만 했다. 알코올이 몸에서 빠져나가는 것을 거부하듯 몸속을 밥과 물 대신 가득 채워야 했다. 온몸에서 알코올 냄새를 풍겨야만 안정감을 찾았고 바닥에 쓰러질 때까지 마셔야만 알코올 채우는 것을 멈추고 잠을 잘 수 있었다. 그러다 몸속에서 알코올이 빠져나가면 다시 일어나 술을 찾았다. 반복적인 술과의 전쟁 속에 자식들은 조금씩 아버지를 피했지만, 어머니는 아버지가 이러다 죽을까 불쌍해 여겼고 술을 사러 나가지 못하게 문을 걸어 잠그거나 신발을 숨길 때도 있었다. 하지만 아버지는 어머니의 마음도 모른 채 창문을 넘어 맨발로 뛰어가 술을 마실 정도로 알코올 중독이 강했다.

한 달 남짓, 술로만 채워진 아버지 몸은 마른 나무처럼 뼈는 앙상하게 드러났고 며칠째 씻지도 않은 채 누워있는 아버지의 곁을 지날 때마다 코를 찌르는 썩은 알코올 냄새가 진동했다. 뻣뻣하게 굳은 채 움직임이 없는 아버지의 모습은 마치 살아 있는 송장 같았다. 이제 더는 알코올을 받아들이지 못하고 아버지의 몸은 물 한 모금조차 알코올로 인식하듯 연신 구토를 했다. 하얀 물을 넘어 노란 물까지 뿜어져 나올 때쯤 "아이고, 나 좀 살려주소"를 반복적으로 외쳤다. 그 모습을 본 어머니는 때가 왔음을 직감하고 119 버튼을 눌렀고, 아버지는 구급차에 실려 병원으로 이송돼 입원 치료를 받아야 했다. 아버지 대신 생계를 책임져야 하는 어머니는 아버지 옆에 붙어서 병간호할 수 없는 상황이었다. 그래서 프리랜서인 소리를 불러 대신 병간호를 부탁했다.

입원 치료를 받고 아버지의 몸은 식욕이 좋은 터라 생각보다 빨리 살이 붙었다. 병원에 계시면서 아버지는 가족들의 관심을 받은 덕인지 술을 마셨던 날 3배 정도 세상을 다시 살아 보려는 의지로 "소리야, 아버지 이제 다시는 술 안 마실께" 약속하시며 자신의 건강과 가족을 챙기셨다. 평범한 아버지로 돌아오신 아버지는 그 누구보다 자상한 아버지로 돌아와 있었다. 하지만 무엇 때문인지 3개월 정도 지나면 아버지는 다시 술을 드셨다. 이런 일은 소리가 아버지를 피해 독립하기 전후 10년 넘게 반복적으로 일어났다.

소리는 거울을 보며 아버지 때문에 반복적으로 병원을 오갔던 일을 떠올렸다. 아버지 입에서 술 냄새가 풍기기 시작하면, 살얼음판을 걷는 듯한 불안감이 온 집안을 휘감았다. 알코올로 인한 무호흡과 간 경화…. 언제 어떻게 죽음을 맞이할지 알 수 없는 상황이었다.

'얼마나 더 가족을 고통스럽게 만들려는 걸까? 어째서 아버지는 조금도 변하지 않는 걸까?' 소리는 고개를 저으며 거울에 비친 시계를 바라보았다.

거울에 비친 시계가 9시를 넘어 10시를 향하고 있을 때, 소리는 의아한 표정으로 어머니의 다급한 전화 소리를 떠올렸다. 주말에도 어머니의 출근 시간은 8시 30분, 보통은 구급차를 부르기 전이나 출근하면서 전화하기 마련이었다. 그런데 9시를 훌쩍 넘은 시간 그것도 어머니가 한창 바쁠 시간에 전화한 것이었다. 게다가 어머니는 빨리 와달라는 말만 남기고 전화를 끊어 버렸다. 잠결에 늘 같은 상황으로 움직였던 소리가 무거운 몸을 일으켰지만, 정신이 들고 나자 서서히 불안감에 사로잡히게 되었다. '설마 아니겠지….' 점점 커지는 불안감에 소리는 서둘러 차 키를 손에 쥐고 신발에 발이 다 들어가지 않은 채 질질 끌면서 발을 구겨 넣듯 현관문을 열어 계단을 뛰어 내려가기 시작했다. 소리의 심장 소리는 계단을 빨리 내려가면 갈수록 요동치며 뛰기 시작했고 불안감은 소리가 더 빨리 뛰어가기를 재촉했다. 정신없이 차를 몰고 병원에 도착한 소리는 아버지가 늘 응급실 침대에 누워있었기에 응급실 방향으로 또다시 뛰기 시작했다. 응급실 문이 자동으로 열리는 순간 요동치는 심장을 감싸고 소리의 시선이 응급실 침대 위 아버지를 찾으며 눈동자가 빠르게 돌아갔다. 하지만 아버지는 보이지 않았고 누군가를 찾고 있는 소리 모습을 보며 간호사가 중환자실 쪽을 가리켰다. 중환자실로 향하는 계단을 마지막 남기고 올라섰을 때 의자에 앉아 계신 어머니가 보였다. 어머니와 소리의 눈이 마주치자마자 어머니는 고개를 돌리며 눈물을 손으로 훔쳤다.

중환자실에 오기까지 '설마, 아버지가 죽지 않았겠지, 이렇게 쉽게 갈 일은 없을 거야, 추석에 갔을 때도 술 냄새는 나지 않았으니 그럴 일은 없을 거야' 머릿속에 떠오르는 불안한 생각이 현실이 되지 않길 바라며 정신없이 뛰어왔다. 소리는 어머니의 붉은 눈을 보며 설마 했던 생각이 현실로 다가왔음을 받아들여야 했다. 아버지의 알코올로 인한 합병증, 어느 정도 마음의 준비를 하고 있던 부분이었지만 생각보다 빨리 찾아온 아버지의 죽음에 어떻게 받아들여야 할지…. 소리는 어찌해야 할지 모를 감정에 두 손으로 얼굴을 감싸 쥐고 주저앉아 흐느끼기 시작했으며 차마 아버지가 죽었냐고 묻지 못했다.

잠시 후 소리의 언니와 오빠가 도착했다. 슬픔을 채 나누지도 못하였는데 가족이 다 모인 것을 알고 아버지를 만날 수 있도록 가족을 불렀다. 가족이 중환자실에 들어가기 전, 주치의는 아버지가 수면 중에 호흡이 멎은 상태로 생명을 되살리기 위해 최선을 다했지만 결국 살리지 못했다고 했다. 아버지는 명절이면 해마다 아버지 고향인 섬을 찾아 그리움을 달래곤 했지만, 알코올 중독의 합병증으로 인한 건강 악화와 늦은 태풍으로 기상이 좋지 않아 올해는 섬에 가지 못했다. 어머니의 말에 의하면, 추석에 고향에 가지 못한 그립고 쓸쓸한 마음을 잡아 두기 힘들어했고, 자식들이 각자의 집으로 돌아간 후 외로움은 더욱 깊어만 갔다. 결국, 건강 악화로 더는 술을 마시지 않기로 약속했던 아버지였지만, 그 쓸쓸한 마음을 달래기 위해 다시 술을 입에 대기 시작했다. 그 후 일주일 동안 매번 그랬던 것처럼 알코올을 몸에 가득 채웠고 결국 알코올로 인한 무호흡은 죽음으로 이끌었다.

중환자실 끝에 누워 계신 아버지를 보고 소리는 조심스럽게 아버지에게 다가갔다. 아버지의 모습은 일주일 전 추석에 봤던 그대로였다. 평소 술을 마셨을 때와는 달리 아버지의 몸은 적당히 부어올라 뼈가 드러나지 않았다. 마치 살아 있는 것처럼 눈을 감고 있는 모습은 평온해 보였다. 소리의 눈에서 눈물이 흘러내렸지만 죽었다고 보기엔 믿기지 않는 아버지 모습이었다. 알코올 중독인 아버지였지만 술을 마시지 않을 때만큼은 소리를 따뜻하게 불러 주시며 예뻐하셨던 아버지였다. 숨이 멈춘 아버지의 모습을 바라본 소리는 따뜻했던 아버지의 모습이 떠올라 아직 죽음을 받아들이기 힘들었다. 소리는 아버지를 흔들면 깨어날 것만 같았다. 소리의 생각은 바로 행동으로 이어졌고 중환자실에 다른 환자들도 있다는 것을 잊은 듯, 울먹이던 목소리가 점점 커지며 아버지를 흔들었다.

"아버지 제가 왔어요. 일어나봐요. 아버지 막내딸이 왔어요."

소리를 바라보던 어머니는 "그만해라 아버지 아프겠다."라며 아버지를 흔드는 소리의 손을 잡아 말리고는, 소리의 어깨를 감싸안아 중환자실 밖으로 데리고 나왔다.

그렇게 가족들은 아버지의 죽음으로 지긋지긋한 술과의 전쟁을 마치고, 아버지를 떠나보내기 위해 장례식을 치르게 되었다. 아버지의 부고를 들은 친척들과 지인들이 하나둘씩 찾아오기 시작했다. 장례식장은 아버지에 관한 이야기로 가득 찼고, 그 속에서 소리 가족은 아버지의 임종을 함께 하지 못한 죄책감과 슬픔을 나누며 서로를 위로했다. 친척들은 아버지를 어디에 모실 것인지 물었다. 아버지는 살아생전 "내가 죽으면 화장도 하지 말고 꼭 원산도에 묻어다오" 말씀하시곤 했다. 소리의 오빠는 아버지의 유언을 전하며 원산도에 보내 드려야겠다고 했다. 하지만 친척들은 원산도에 가려면 날씨도 좋지 않은 상황에 거리도 멀고 배를 타고 들어가야 한다는 이유로 반대했다. 그러면서 화장을 해서 가까운 곳에 모시는 것이 서로에게 좋다며 화장을 권유했다. 소리의 가족은 잠시 고민하는 듯했지만, 결국 아버지의 유언을 따르기로 했다.

다행히도 원산도에 계신 아버지 친구분들이 묫자리를 봐주셨고 섬에서 치를 모든 장례 준비를 마친 상태였다. 삼일장을 치른 후, 가족들과 친지들은 운구차를 타고 2시간을 넘게 달려 보령항에 도착했다. 하지만 항구에 도착할 즈음 안개가 자욱하게 깔리기 시작했다. 항구에 내려서 보니 비가 계속 내렸던 터라 흐린 날씨에 바다 안개가 더 짙어 배가 출항할 수 없었다. 어느 정도 날씨 상황을 예상했지만, 장례식을 치러야 하는 상황에 배가 들어갈 수 없어 소리 가족은 막막한 상태였다. 해가 빨리 뜨거나 비가 내려 안개가 걷혀야만 배가 출항할 수가 있다. 안개가 걷히기만을 기다렸던 가족들은 마냥 기다릴 수가 없는 상황에 대합실과 부두를 왔다 갔다 하며 날씨 상황을 지켜봐야 했다. 오전 내내 안개가 걷히길 기다렸던 어머니가 부둣가에 앉아 참았던 눈물을 흘리며 "아이고, 어머니 한 번만 도와주소! 아들 장례식은 치러야 하지 않겠소!" 사이가 좋지만은 않았던 고부 사이였지만 어머니는 하늘에 계신 할머니께 처음이자 마지막 부탁을 빌어 보는 듯했다. 옆에서 듣고 있던 소리는 소용이 없는 소리라 생각했지만 그래도 지푸라기라도 잡는 심정으로 마음속으로 안개가 걷히길 함께 빌었다. 바닥에 주저앉아 막막했던 마음을 쏟듯 눈물을 한참 흘렸던 어머니는 마지막 떨어지는 눈물을 손으로 닦으며 일어나셨다. 그러곤 소리의 부축을 받아 다시 대합실로 발을 옮겼다. 소리와 어머니가 대합실에 들어설 때 누군가가 외쳤다.

“비가 온다! 비가 와요!”

소리와 어머니, 그리고 친척들은 밖으로 나와 비가 내리는 것을 확인하고 배가 곧 출항할 수 있다는 희망을 품었다. 비는 점점 더 세차게 내리며 안개를 걷어내기 시작했다. 한 시간가량 기다린 뒤 배가 출항할 수 있다는 안내 방송이 나왔고 배에 탑승할 준비를 했다. 어머니는 “그래도 자식 장례식은 치르라고 할머니가 용왕님께 힘 좀 썼나 보다” 하며 답답한 마음을 쓸어내리셨다. ‘하늘이 도운 것일까? 할머니가 용왕님께 자식을 위해 빌었던 걸까?’ 우연의 일치였을 수 있지만, 배가 출항한다는 반가움에 가족들은 서둘러 배에 올라탔으며 서로 애탔을 마음을 다독였다. 어릴 적 섬에 살 때 탔던 배보다 3배나 더 커 보이는 배가 아버지를 태운 운구차를 싣고 천천히 부두를 떠나 바다로 나아갔다. 안개는 어느 정도 걷혀 가지만 비가 내리고 바람이 조금씩 불기 시작하여 배가 출렁이기 시작했다. 출렁이는 배와 한 몸이 되지 못한 소리는 뱃멀미하기 시작했다. 배 엔진 냄새와 코를 파고드는 바다의 짠 냄새, 출렁이는 파도가 소리의 속을 뒤집었다. 소리는 바다에 속을 다 비워 내고야 어느 정도 정신을 차리게 되었다. 배 난간을 붙잡고 중심을 잡아 보던 소리는 하얀 파도가 넘실거리며 거품을 일으키는 모습을 바라보았다. 속을 진정시키며 생각에 잠겼던 소리는 옛 기억이 밀려오듯 머리가 아프기 시작했고 잊고 있던 고통의 경험이 떠오르기 시작했다.

소리네 가족은 소리가 중학교에 가기 전까지 아버지 고향인 원산도에 살았었다. 섬에 살 때 육지로 나와야 하는 일이 있으면, 날씨에 상관없이 출항하는 배가 있다면, 선택의 여지 없이 그 배를 타고 나와야만 했다. 소리가 13살 때 바람이 거세게 불던 어느 날 소리가 아파 육지 병원에 꼭 나가야 하는 일이 생겼다. 어머니가 여객선을 알아봤지만, 파도가 높아 배는 출항 할 수 없는 상태였다. 수소문 끝에 아버지 친구분 어선이 출항한다는 소식을 접하고 소리와 어머니는 어선을 얻어 탔다. 일반 사람을 태우면 안 되는 어선이어서 항로를 지날 때 해양경찰에게 들키지 않게 해야 했다. 소리는 어부들이 잠깐 쉴 수 있는 공간인 작은 방에 들어가 앉아 이불을 뒤집어쓰고 있어야 했다. 작은 방 벽에 쪼그리고 앉아 이불을 뒤집어쓴 소리는 배를 뒤덮을 만큼 큰 파도가 너무나 두려워 꼼짝달싹할 수 없었다. 거대한 파도가 금방이라도 배를 집어삼킬 듯 맹렬한 기세로 덮쳐왔다. 배가 출렁일 때마다 소리의 배 속 장기들도 파도와 함께 요동쳤다. 입 밖으로 튀어나오려는 장기들을 필사적으로 목구멍으로 밀어 넣으며, 간신히 침을 삼켜 자신의 몸을 진정시켰다. 열이 높아 온몸이 뜨거웠지만, 죽음의 문턱에 서 있는 공포에 아픔을 느낄 새도 없었다. 그저 이 거대한 파도가 소리를 집어삼키지 않기만을 간절히 바랄 뿐이었다. 죽을 것만 같았던 시간이 흘러 배가 선착장에 무사히 닿았다. 소리는 온몸에 힘이 쭉 빠진 상태로 힘이 하나도 남아 있지 않았다. 다시는, 배를 타지 않겠다고, 죽어도 배를 타지 않겠다고 다짐했다. 배에 얽힌 끔찍

한 기억으로 섬을 떠난 이후 단 한 번도 찾지 않았던 그곳을, 아버지의 죽음으로 다시 찾게 된 소리는 섬에 도착할 때까지 두려움을 가라앉히기 위해 안간힘을 써야 했다. 그리고 마침내, 소리의 마음이 조금이나마 진정될 무렵, 배는 원산도에 도착했다.

섬에 도착한 운구차는 소리 가족을 태우고 소리가 살았던 동네로 향했다. 십여 년이 훨씬 넘어 다시 찾은 섬! 꼬불꼬불한 산길을 넘어 비포장길을 걸어 다녔던 그 길은 이제 넓은 도로로 포장되어 차들이 다니기 좋게 변했다. 그 길을 따라 새로 지어진 집들과 곳곳에 변화한 주변 환경이 소리의 눈에 들어왔다. 재개발로 여기저기 땅이 파헤쳐진 곳이 많았고 공사잔해와 메꿔지지 않은 곳엔 수북이 쌓인 쓰레기로 가득 차 있었다. 소리가 어릴 적 살았던 평온했던 섬과 다른 모습을 먼저 보게 되어 마음이 편하지는 않았다.

아버지의 운구차는 소리가 살았던 집 앞을 지났다. 그 집은 할머니가 살았던 초가집을 걷어내고 아버지가 직접 벽돌을 쌓아 올려 지은 집이었다. 비와 눈바람을 맞으며 1년 넘게 지었던 그 집은 솜씨는 좋았지만, 건축지식이 부족했던 아버지가 지은 집으로 여기저기 틈이 벌어져 비가 많이 올 땐 비가 새기도 했다. 하지만 그 집은 소리가 가족과 함께 웃으며 지냈던 아버지의 손때가 묻은 집이었다. 섬을 떠나온 지 얼마 되지 않아 정이 많던 아버지가 친구분의 빚보증을 잘못 서는 바람에 집이 경매로 넘어갔고 자식들 먹여 살리기에도 빠듯했던 집안 형편에 결국 집은 다른 사람의 소유가 되어버렸다.

소리는 집을 본 순간 집에서 가족들과 함께 보냈던 추억이 떠올랐다. 초가집을 허물고 집이 완공되었을 때 부모님은 동네 사람들을 불러 잔치를 벌였다. 동네 사람들과 음식을 나누며 웃음꽃을 피웠고 축하의 인사를 나눴다. 부모님 얼굴에는 따뜻한 미소가 번졌고 이 집에서 가족이 더욱 건강하고 행복하게 살기를 바랐다. 소리도 함께 좋은 일이 가득하기를 바랐다. 예전의 초과 집과는 비교가 안 될 만큼 넓은 주방에서 아버지는 바다의 신선한 재료로 만든 각종 해산물 요리로 가족의 식탁을 풍성하게 채워주셨다. 소리는 아버지가 정성스레 준비한 음식을 맛볼 때마다, 그 사랑이 입안 가득 퍼지는 것을 느꼈고, 그 맛은 가슴 깊이 스며들어 행복으로 가득 채워주었다. 아직도 그때 아버지가 해주신 그 음식의 맛은 소리의 기억 속에 생생하게 남아 있다. 가족이 함께 모여 생계를 위해 김과 실치 작업에 뛰어들었던 일도 떠올랐다. 말린 실치를 걷다가 넘어져 생긴 흉터는 소리의 오른쪽 다리에 길고 선명하게 자리 잡고 있다. 소리는 다쳤을 때 아찔했던 순간을 떠올리며 상복으로 가려진 흉터의 위치를 찾듯 손으로 더듬거렸다. 그 흉터는 가족의 생계를 위해 함께 고생했던 아픈 추억을 상기시켜 주었다.

소리가 여러 가지 감정이 교차하며 집에 대한 추억을 떠올릴 때 운구차는 아버지 묏자리 산 아래 도착했다. 준비되어있던 상여에 아버지의 관이 실리고 아버지의 친구들은 상여를 매고 산 위로 올라 절차에 따라 관을 땅에 묻었다. 소리는 관이 땅에 묻히는 순간, 아버지와의 마지막 이별을 받아들였다. 그리고 아버지의 알코올 중독으로 인해 힘들었던 시간과 그때 느꼈던 미움의 감정을 비워 내듯, 마지막 눈물을 쏟아냈다.

소리와 가족들은 장례식을 마치고 막 배 시간이 지나 큰어머니 집에서 하루 묵어가기로 했다. 큰어머니 집은 아직 옛 모습을 유지하고 있었다. 마루에 걸터앉아 있는 소리와 언니 곁으로 큰어머니가 다가왔다.

“날씨도 좋지 않은데 상을 치르느라고 고생했다”

“그나저나 남들은 육지로 나가면 웬만하면 돌아오고 싶지 않더구먼, 아버지는 왜 그렇게 섬에 오려고 했다냐? 너희들 힘들게 말이여…”

“그러게요…”

소리는 큰어머니가 하신 말씀에 동감을 하며 아버지가 그토록 원산도에 오고 싶었던 이유를 떠올려 보았다.

소리가 세 살 때, 가족은 아버지의 고향인 원산도에서 새로운 삶을 시작했다. 초가집에서 시작한 삶은 생각보다 많은 어려움을 안겨주었다. 어머니는 가스시설도 없이 아궁이에 밥을 지어 먹는 것에 익숙하지 않았고, 전화기와 텔레비전도 없어 옆집에 가서 전화하거나 걸려오는 전화를 받기 위해 뛰어다녀야 했다. 재미있는 만화영화도 옆집에 모여 함께 시청해야만 했다. 물론 시간이 지나면서 환경은 조금씩 나아졌지만, 열악한 교육환경과 배를 타고 나가야만 물건을 살 수 있는 불편한 교통시설, 아파도 곪아 터질 때까지 견뎌야 하는 상황은 크게 변하지 않았다. 무엇보다 돈벌이가 없어 자급자족으로 견뎌야 하는 부분은 소리와 언니, 오빠가 커가면서 큰 어려움으로 다가왔다.

어머니는 환경 탓을 하며 어떻게 해서든 육지로 이사하는 것을 꿈꿔 왔다. 그 마음은 소리에게도 전달되어 친구들이 하나둘씩 육지로 떠날 때마다 소리도 하루빨리 섬을 벗어나는 것을 꿈꿔 왔다. 하지만 아버지는 섬에서 떠나는 것을 두려워하셨고 어머니가 이사 이야기를 꺼낼 때마다 언성을 높이며 반대하셨다. 어머니는 그래도 자식이 앞으로 살아갈 환경을 생각하며 언니가 고등학교에 들어갈 때 큰 결심을 하고 육지로 이사를 했다. 이사를 하는 날에도 아버지는 섬에 혼자 남아 계셨다가 몇 개월이 흐른 후 섬을 떠나 가족이 있는 곳에서 삶을 함께 시작했다.

소리에게 기억된 섬은 생활의 불편함과 배에 대한 두려움, 많지 않았던 친구들이 하나둘씩 떠나면서 혼자 남겨진 시간, 가족의 생계를 돕기 위해 함께 일해야 했던 경험, 그리고 치료를 제때 받지 못해 생긴 흉터가 먼저 떠올랐다. 소리는 섬을 떠나고 싶었던 마음이 컸기 때문에 아버지를 이해하기 어려웠다.

큰어머니 집에서 하룻밤을 보낸 가족들은 아침 일찍 일어났다. 큰어머니가 차려주신 아침상에는 섬에서 자주 먹었던 음식들이 올라왔다. 그중에서도 말 무침은 소리가 특히 좋아했던 음식으로, 육지에서는 찾아보기 힘든 것이었다. 오랜만에 맛보는 말 무침에 소리는 어제의 피곤함도 잊은 채 맛있게 먹었다. 그 모습을 보며 큰어머니는 “아버지도 여기 오시면 말 무침에 밥을 비벼서 참 맛있게 드셨단다.”라며 아버지가 좋아하셨던 음식들을 더 말씀해 주셨다. 소리는 어릴 적 맛있게 먹었던 말 무침을 다시 맛보며, 잊고 있던 행복한 맛을 떠올렸다. 아버지가 섬에서 살았을 때 좋아하셨던 그 음식은, 원산도를 떠나 육지 생활에 적응하기 힘들어하셨던 아버지에게도 특별한 의미가 있었을 것이다. 해마다 원산도를 찾으셨던 아버지도 이 음식을 드시며, 지난 행복했던 일들을 떠올리셨을지도 모른다. 소리는 평소 고향 음식을 육지에서도 자주 찾았던 아버지를 떠올리며, 아버지의 마음을 조금 이해해 보았다. 어쩌면 아버지는 육지에 어쩔 수 없이 나오게 된 후, 새로운 환경에 적응하기 힘들어 술에 의존해 왔을지도 모른다. 육지 생활에 힘에 부칠 때마다, 아버지는 고향의 맛과 추억을 그리워하며 술로 그 마음을 달랬을 것이다.

아침 식사를 마친 후, 소리네 가족은 아버지의 산소가 있는 산에 올랐다. 어제 심은 잔디가 잘 심어졌는지, 무너진 곳은 없는지 꼼꼼히 살폈다. 소리는 아버지 산소 주변을 천천히 둘러보았다. 산소 뒤쪽으로는 나무들이 우거져 있어 마치 숲속에 있는 듯한 아늑함이 느껴 졌다. 어제와 달리 맑은 날씨에 가을 햇볕이 따가웠지만, 나무 사이로 불어오는 가을바람이 시원하게 느껴졌다.

산소에서 내려와 산 아래를 내려다보니, 높지 않은 산임에도 마을이 한눈에 들어왔다. 고개를 돌려 대각선으로 보이는 곳에 바다가 눈에 들어왔다. 바다와 함께 보이는 마을은 마치 한 폭의 그림처럼 평화로워 보였다. 파도 소리가 바람을 타고 들려왔고, 가을 벼가 황금빛으로 흔들리며 파도 소리에 맞춰 춤을 추는 듯했다. 초록색과 알록달록한 가을 색의 조화, 바다에서 밀려오는 파도 소리가 어우러져 소리의 마음을 한층 평화롭게 만들었다. 또, 아버지가 원했던 그 자리에 산소가 잘 자리 잡은 것 같아 한결 마음이 가벼워졌다.

아직 배를 탈 시간이 남아 있어, 소리는 언니와 함께 바닷가 쪽으로 걸었다. 예전에는 꼬불꼬불한 흙길이었던 곳이 이제는 넓은 시멘트 길로 변해 있었다. 맨발로 뛰어다니던 그 시절 흙의 푹신함은 느낄 수 없었지만, 친구들과 바다 놀이터를 가기 위해 뛰었고 가족과 함께 바닷가에서 조개를 잡기 위해 걸었던 그 길을 지나며 소리는 섬에 대한 굳었던 마음이 조금씩 녹아내리는 것을 느꼈다.

바닷가에 도착한 소리는 어릴 적 그랬던 것처럼 하얀 모래사장을 맨발로 걸었다. 발바닥을 자극하는 작은 알갱이들이 가슴속 깊이 추억을 불러일으키며 소리의 마음을 따뜻하게 만들었다. 친구들과 바닷가에서 놀이터 삼아 함께 놀았던 즐거웠던 시간이 떠올랐고, 아버지와 함께 조개와 고동, 낙지 등 해산물을 잡았던 기억 속에서 아버지의 행복한 미소가 떠올랐다.

'아버지 또한 이곳에서 자식들과 함께했던 시간을 떠올리지 않았을까?' 소리는 성인이 되어 갑갑하게 느껴지는 바쁜 일상 속에서 숨을 쉴 수 있는 공간을 찾았었다. 매일 같은 일을 반복하고 치열하게 올라서야 했던 시간은 소리가 견디다 못해 회사를 그만둬야 했던 이유이기도 했다. 지금은 자신이 꿈꿔 왔던 그림책 작가로 활동 중이지만 생계를 책임져야 했던 아버지는 더욱더 무거운 책임감을 느꼈을 것이다. 그 무게감 속에서 자신을 살게 했던 원동력을 찾기 위해 섬을 그리워했을지도 모른다는 생각이 들었다.

아버지의 죽음으로 섬을 다시 찾은 소리지만, 배를 타는 순간부터 몰려드는 공포와 섬에 대해 좋지 않았던 기억은 섬에 오는 시간을 힘들게 했었다. 아버지를 이해하기 위해 추억을 떠올렸지만 힘들었던 기억이 먼저 떠올랐다. 하지만 섬에서 주는 자연환경은 섬에서 즐거웠던 옛 기억을 떠올리게 했고, 아버지가 죽어서라도 섬을 찾고 싶었던 부분을 이해하게 되었다. 섬에서 살았던 행복했던 삶은 생각보다 소리의 마음속 깊이 자리 잡고 있었다. 아버지가 섬을 선택한 이유는 소리에게 발아하지 못한 씨앗이 싹을 틔울 기회를 제공해주었다. 이런 감정을 느끼게 된 것이 아버지가 준 선물이 아닌가 생각이 들었다. 육지로 돌아가는 길은 섬으로 오는 길보다 가벼웠고 소리가 힘들 때마다 다시 찾게 만드는 아버지의 섬이자 소리의 섬이 되었다.

| 02 |

호구만세 외 3편

김인숙

에세이

김인숙

어느 순간, 나도 모르게 책은 내 삶에 없어서는 안 될 존재로 자리 잡았습니다. 슬플 때, 외로울 때 혹은 화가 날 때도 책을 통해 위로받으며 거친 파동을 가라앉히곤 했습니다. 이제는 나 자신을 넘어 다른 이들의 마음에도 잔잔한 파동이 닿기를 소망합니다.

글을 쓰면서 조금씩 성숙해져가는 나는 글쓰는 사회복지사입니다.

호구만세

남녀공학 중학교 진로 수업 시간이다. 1교시 수업이 끝나고 쉬는 시간. 한 남학생이 다가오며 말했다.

“선생님! 저는 친구들을 도와주고 싶지 않아요. 그러면 호구가 돼요”

순간 망치로 머리를 얻어맞은 듯 멍했다.

1교시 내내 사회복지사란 사회가 편안한 상태를 유지하기 위해 사람들이 원하는 욕구를 충족시켜 문제를 해결할 수 있도록 도와주는 사람이라고 강조하였는데 남학생에게는 그게 호구 짓처럼 보였던 것이다.

“친구야, 왜 그렇게 생각하게 되었을까 궁금하네요?”

나는 조심스럽게 물었다.

“제 친구들은 제가 평소 도와주다 어쩌다 한 번 안 도와주면 서운하게 생각해요. 때로는 도와주지 못할 상황이 있잖아요. 왜 항상 도와주는 게 당연하다고 생각할까요? 오히려 더 뻔뻔하게 화를 내는 게 제가 호구라고 생각해서 그러는 것 같아 기분 나빠요"

아이의 말에 나는 잠시 생각에 잠겼다. 아이들이 '도움'을 당연하게 여길 때 그것이 얼마나 큰 부담으로 다가오는지 어쩌면 제대로 말하지 못하고 있었는지도 모른다. 그러면서 문득 나의 어린 시절이 생각났다.

예전의 나도 그랬다. 중학교 때 멀리 있는 학교까지 매일 걸어 다니던 나를 미안하고 안쓰럽게 생각한 아버지가 새 자전거를 사 주셨다. 깨끗하고 번쩍번쩍 윤기가 흐르는 자전거를 보자 가슴이 콩닥콩닥 뛰었다. 새 자전거가 혹시라도 다치거나 고장 날까 봐 조심조심 다루며 열심히 연습한 끝에, 마침내 자전거를 타고 학교까지 갈 수 있게 되었다.

그 무렵, 같은 동네에 살던 친구 진아가 자전거를 배우고 싶다며 내게 부탁을 했다. 내가 좋아하는 친구여서 망설임 없이 내 자전거로 가르쳐 주기로 했다. 내가 뒤에서 캐리어를 잡고 진아는 안장에 앉아 핸들을 이리저리 돌리며 연습했다. 하지만 진아는 자주 넘어졌고 그때마다 새 자전거가 더러운 흙에 묻고 상처가 났다. 넘어져 혼자 돌아가는 자전거 바퀴를 보며, 내 마음도 덩달아 어지러웠다.

'가르쳐주지 말까...' 고민했지만, 진아는 내 마음은 아랑곳하지 않는 듯 매일 자전거를 배우러 우리 집에 찾아왔다. 나는 결국 거절하지 못하고 진아가 혼자 자전거를 탈 수 있을 때까지 가르쳐 주었다. 그리고 얼마 뒤, 진아는 새 자전거를 타고 학교에 나타났다. 그 순간, 내가 그동안 흘린 시간과 노력은 어느새 낡은 자전거처럼 되어버린 것 같았다.

시간이 흘러도 그런 일은 비슷하게 일어났다. 좋아하는 사람과 식사하고 나서 찰나의 어색한 시간이 싫어 내가 먼저 계산해야 마음 편했다. 그런데 어이없게도 나의 호의가 오해를 만든 상황이 되었다. 그렇게 안 해도 본인이 하려고 했었다는 말을 듣고 집에 돌아와 이불킥을 날리지 않았던가. 자기가 계산할 마음이었으면 진작 좀 하던가.

그런 일이 되풀이되니 진심을 보이며 사람을 만나는 일이 두려웠다.

그러나 아무리 애써도 천성은 감출 수 없나 보다. 따뜻한 감정이 스며들면 내 안에 있던 벽은 서서히 무너지고, 마음을 나누고 싶은 욕구가 마치 풍선처럼 부풀어 올랐다.

나이가 들면서 비로소 내가 사람을 좋아한다는 것을 알았다. 비록 사회성이 좋은 편은 아니지만, 함께 모여 수다를 나누는 시간이 즐거웠다. 그리고 내가 주변 사람들에게 선한 영향력을 미친다는 이야기를 들을 때마다 뿌듯함과 행복감을 느꼈다. 그럴때마다 사회복지사라는 직업에 대한 자부심이 더욱 커졌다.

호구란 사전적인 의미는 어리숙하여 이용하기 좋은 사람을 비유적으로 이르는 말이다.

그러면 호구와 반대되는 사람들은? 체리 피커라 불리는 사람들이 있다. 일명 기회 포착의 달인. 유래는 '나무에 열린 체리 가운데 가장 소담한 열매만 따서 먹는 행위' 또는 '케이크 위에 얹어져 있는 체리만 집어 먹는 행위'라는 뜻에서 비유한 것으로 자신이 정확하게 원하는 부분만 취하는 행위를 일컫는 말이다.

우리는 사회에서 이런 사람들을 종종 만난다. 그 사람이 자신의 실속만을 챙기려 한다면 상대방은 분명 호구가 되어주어야 한다. 호구를 만들지 않고 서로 도움이 될 수는 없는 걸까. 서로 양보하고 배려하며 적당한 타협점을 찾고 손해나 후회를 최소화할 수 없을까. 같은 상황에서 똑같이 실속 있는 사람이 될 수는 없을까. 자신에게 유리한 것만을 추구한다면 세상은 얼마나 삭막할까. 하고 생각하면 작은 한숨이 쉬어진다.

넬슨 만델라는 "친절함은 쉽게 할 수 있는 일이지만, 그 영향력은 끝이 없습니다"라고 말했다. 사람들이 보여주는 자비와 이해가 우리가 살아가는 삶에 가장 중요한 부분이라고. 마더 테레사, 달라이라마, 알베르트 슈바이처, 철학자, 인도주의자들이 말하는 공통점은 배려와 친절이 사회를 더 좋은 방향으로 만든다는 것이다.

사회복지라는 직업은 배려와 친절에 더불어 사명감을 가져야 한다. 여기서 사명감이란 주어진 임무를 책임 있게 수행하려는 의지나 마음가짐이다.

또한, 사회복지사는 사회의 제도나 시스템을 활용하는 일을 하는 사람이다. 사회의 복지서비스를 받지 못하는 사람들을 최대한 공평하게 약자에게 돌아가도록 세심하게 돌봐야 할 것이고 사회의 손길이 닿지 못하는 부분을 지자체나 정부에 요구하도록 하는 역할을 한다.

배려와 친절을 바탕으로 자신이 정한 기준과 가치관 그리고 사명감을 가지고 임한다면 그 어떤 상황에 휘둘려서 호구 짓 했다며 이불킥을 날리는 일도 없을 것이며 등가교환의 법칙을 적용하여 준 만큼 못 받았다고 억울해하는 일도 없을 것이다.

남학생에게 나는 조심스럽게 설명했다.

"친구를 돕는다는 건 사실 굉장히 의미 있는 일이예요. 물론 자신이 불편한 상황에서는 정중하게 거절할 수도 있어야 되요. 자신의 선을 지키는 게 중요해요. 하지만 우리가 누군가를 도울 때는 그로 인해 자신이 성장하고 더 나은 사람이 될 수 있음을 기억했으면 좋겠어요. 적당한 타협과 배려를 통해 서로 도움을 주고 받는 호구가 된다면 모두가 조금씩 더 나아질 수 있지 않을까요?"

남학생은 내 말을 곰곰이 생각해 보는 표정을 지었다. 나는 미소를 지으며 그를 바라보았다. 중요한 건 배려와 친절을 베푸는 게 결코 약함의 표시가 아니라는 것을 그가 조금이라도 이해했으면 좋겠다는 바람이었다.

개개인이 모여 공동체를 이루고 하나의 사회가 되듯이, 하나하나의 배려와 친절한 마음들이 모여 더욱 살기 좋은 행복한 세상을 만들 수 있지 않을까 이야기하며 아이들과의 수업을 마쳤다. 그래도 나는 친절하고 멋진 자발적 호구다. 호구 만세!

42색 크레파스

선아가 담임인 초등학교 1학년 미술수업 시간. 갑자기 교실 한 쪽에서 가연이의 훌쩍거리는 소리가 들렸다. 가연이가 가지고 온 가족사진에 유노가 크레파스로 낙서를 해놓았다. 낙서도 그냥 낙서가 아닌 눈, 코, 귀, 입을 이상한 괴물의 형상으로 만들어 놓지 않았나. 그러고는 히죽히죽 웃고 있다.

가족사진은 평소 가연이가 소중히 가지고 다니던 거였다. 부모님의 이혼으로 할아버지, 할머니, 아빠하고 살게 되었고, 할머니가 엄마하고 연락하는 것을 싫어해서 유일하게 가족사진만 할머니 몰래 가방에 넣고 다니던 거였다. 그것은 가연이가 유일하게 엄마를 생각하고 기억할 수 있는 물건이었다. 그런데 유노가 그 위에 크레파스로 낙서를 한 거다.

사진 속에 있는 낙서를 지워야 하는데 하고 고민하던 찰나, 크레파스를 보니 지난 추억이 떠올랐다.

초등학교 4학년인 선아는 검은색 단발에 쌍꺼풀이 있는 큰 눈과 예쁜 외모로 주위 사람들의 관심을 받는 아이였다. 담임선생님도 선아를 퍽 귀여워 해주셨다. 수업 시간에 소리 내어 책을 읽을 때도 선아를 자주 시켰다. 아이들 앞에서 칭찬도 많이 해줬으며 교무실 심부름도 선아 담당이었다. 친구들은 부러워했고 선아한테 잘 보이고 싶어했다.

그러던 어느 날 선아는 바쁜 부모님을 대신해 선생님의 가정방문을 맞이했다. 선아는 엄마가 일하다 말고 주머니에서 꾸깃꾸깃 준 돈으로 가게에 가서 간식거리를 샀다. 과자를 쟁반 위에 가지런히 올려놓고, 컵에 오렌지 주스를 담아놓은 후 선생님을 기다렸다. 혼자 오신 선생님은 집과 선아를 번갈아 보더니 많이 놀란 표정을 지어 보였다.

"선아가 혼자 준비한 거니?" 하고 과자와 음료수를 드셨다. 잘 먹었다면서 더 열심히 공부하라는 당부를 하셨다. 그리고 다음 친구네 집에 가야 한다면서 자리에서 일어나 가셨다.

그런데 그 이후부터 선생님은 하진이에게 더 많은 관심을 보이고, 칭찬과 교무실 심부름은 하진이한테만 시키기 시작했다.

하진이는 머리카락이 허리까지 내려오는 긴 생머리에 눈은 크고 검정색 테가 있는 안경을 썼다. 안경의 렌즈는 때때로 빛을 받아 반짝였는데 하진이가 화를 내거나 짜증을 내면 안경 렌즈의 반짝임이 더욱 차갑고 날카로워 보였다. 자주 화를 내고 성질이 사나워 주위에 친구들이 없었다. 하지만 미술학원을 다니며 그림을 잘 그리는 하진이를 볼 때마다 선아는 그 실력을 부러워했다.

어느 날 하진이와 선아가 짝꿍이 되었다. 같이 앉자마자 하진이는 책상에 자와 연필로 반듯하게 줄을 그었다. 선아도 하진이를 좋아하지 않았기 때문에 신경쓰지 않았다.

미술 시간이었다. 선생님이 가지고 온 준비물을 꺼내놓고 있으라고 이야기한 후 잠시 교무실에 가셨다. 선아는 엄마가 사준 42색 크레파스를 꺼내 책상 위에 올려놓았다. 크레파스는 다른 아이들의 눈길을 사로잡았다. 하진이는 크레파스를 보고 눈을 흘겼다. 대부분의 아이는 12색이나 24색 크레파스를 가지고 있었고, 그보다 많은 색이 들어있는 선아의 크레파스는 자연스럽게 주목을 받았다.

"와~ 색깔 진짜 많다. 나 구경해도 돼?"

"그래. 구경해"

윤정이가 선아의 크레파스를 구경한 후 하진이가 그려놓은 줄을 넘어가서 내려놓았다. 순간 하진이는 자기 책상을 넘어왔다면서 선아의 팔을 세게 때렸다.

"내가 넘어온 게 아니잖아!" 선아도 지지 않고 하진이의 팔을 힘껏 때렸다.

"네 물건이잖아!" 하진이는 선아의 머리카락을 움켜잡았다. 그러자 선아도 하진이의 머리카락을 잡아당기며 발로 차기 시작했다. 둘의 싸움은 점점 더 격렬해졌고, 책상이 흔들리며 의자가 넘어지기 시작했다. 선아와 하진이는 바닥으로 나뒹굴면서도 서로 머리채를 놓지 않았다.

주변 아이들은 놀란 듯 싸움 장면을 지켜보다가 이내 흥분된 목소리로 "이겨라! 이겨라!"를 외치며 둘의 싸움을 응원하기 시작했다. 교실은 금세 아수라장이 되었다.

선아의 마음은 그 순간 무너져 내렸다. 싸움 도중에 바닥으로 떨어진 42색 크레파스가 이리저리 구르며 몇 개는 반으로 뚝 끊어져 있었다. 선아는 마치 자신이 부서져 버린 듯한 느낌을 받았다. 새것처럼 반짝였던 크레파스가 형체가 일그러진 채 여기저기 흩어져 있었다. 그것은 단지 물건이 아니라, 엄마가 힘들게 일해서 번 돈으로 사준 소중한 것이었고, 자랑거리였다. 그런데 지금 그 일부가 반으로 두 동강 나고 이리저리 굴러다니고 있는 것을 보자 가슴이 먹먹해지고 억울함과 분노에 눈물조차 흘릴 수 없었다.

싸움의 열기는 꺼지지 않았고, 교실은 아이들의 함성과 함께 혼란에 휩싸였다.

"이게 뭐 하는 짓이야!"

선생님의 외침과 함께 싸움은 끝이 났다. 선생님은 분노에 가득 찬 표정으로 교실을 정리했다. 분위기는 한순간에 싸늘해졌다. 반장이 상황을 설명하자, 선생님은 윤정이에게 잘못을 물어 손바닥을 때렸다. 윤정이는 울었고, 사건은 그렇게 마무리 지어졌다.

선아는 억울함과 분노를 느꼈다. 특히 크레파스가 부서진 것에 대한 자책감이 컸다. 선아는 더 이상 크레파스를 학교에 가져가지 않았다. 매일 아침 책가방을 챙기며 그 자리에 있어야 할 42색 크레파스를 외면할 때마다 씁쓸한 감정이 밀려왔다.

하진이는 여전히 선생님과 친구들로부터 많은 주목을 받았다. 하진이의 엄마는 학교 행사 때마다 선생님을 찾아와 선물을 주며, 하진이의 인기를 유지하는 데 기여했다.

몇 년이 지난 후, 고등학교 입학시험(예전에는 고등학교도 시험을 보고 합격하면 들어갔다.)에 하진이와 선아는 같은 여자고등학교에 지원했다. 학교와의 거리가 멀어서 가는 차편이 많지 않았다. 그런 상황을 알고 옆 동네 사는 하진이 엄마가 선아 엄마한테 선아도 자기네 차로 데려가겠다고 했다. 시험을 보는 날 선아는 엄마가 말해준 큰 느티나무 옆집으로 갔다. 한 걸음, 한 걸음 내디딜 때마다 운동화가 점점 더 무겁게 느껴졌다.

그때 처음 하진이네 집을 봤다. 옥상이 있는 2층 양옥집이었다. 선아는 하진이네 집 앞에 서서 잠시 망설였다. 하진이 엄마가 친절하게 차를 태워준다고 했지만, 막상 그 집 앞에 서니 어색한 기분이 들었다.

그러던 찰나에 아저씨 한 분이 씩씩거리며 문을 박차고 나오고 있었다. 얼굴은 붉게 상기되어 있었고, 눈은 살짝 충혈되어 있었다.

"그래. 그년이랑 잘살아 봐라!"

안에서 아줌마가 외치는 소리가 들렸다.

그는 선아를 보더니 아무 말 없이 서둘러 걸음을 옮겼다. 그의 뒷모습을 바라보며 묘한 불안감에 사로잡혔다. 하지만 여기까지 왔으니 돌아설 수는 없었다.

'큰 느티나무 옆집 하진이네 집이 맞는데...'

망설이다가 그가 나왔던 대문을 조심스레 열며 말했다.

"안녕하세요..."

조심스럽게 내뱉은 말은 공허하게 흩어졌다. 아무런 대답도 들리지 않았다. 다시 한번 숨을 고르며 주위를 둘러보았다. 대문에서 현관까지 이어진 작은 돌길은 고요했고, 양옆의 화분들은 정갈하게 정돈되어 있었다. 발걸음을 옮길 때마다 자갈이 부드럽게 밟히는 소리가 신경을 더욱 곤두서게 했다. 마음속 불안을 억누르며, 조심스럽게 현관으로 향했다.

현관문을 열고 안으로 들어서며, 다시 한번 말했다.

"안녕하세요..."

"어, 선아왔구나. 들어오렴"

하진이 엄마의 목소리가 거실 안쪽에서 들렸다.

적막이 흐르는 가운데, 거실의 넓은 공간이 눈에 들어왔다.

갈색 소파는 두툼한 쿠션으로 아늑함을 자아내고 있었으며, 소파 맞은편 텔레비전은 목재캐비닛 위에 올려져 있었다. 한쪽 구석엔 피아노가 자리 잡고 있었고, 그 위에는 가족사진들이 나란히 놓여있었다. 주방의 중앙에는 커다란 대리석 식탁과 의자가 있었고, 그 위에는 깨끗이 닦인 유리병 속에 이름 모를 꽃들이 제각기 꽃혀 있었다. 거기서 하진이는 의자에 앉아 갈비를 먹고 있었다.

"선아도 아침밥 줄까?"

"괜찮아요. 저는 밥 먹고 왔어요"

공기는 무겁게 내려앉아 있었고, 주방에는 긴장감이 감돌았다.

소파 한쪽 구석에 앉아 하진이를 바라보았다. 하진이의 표정은 책상에 크레파스가 넘어왔다며 선아와 싸움했던 그때 그 표정이었다. 하진이는 마음 깊은 곳에서 솟아오르는 분노, 슬픔, 불안의 감정을 삼키듯 밥을 먹고 있었다.

선아는 하진이의 식사하는 모습을 바라보면서 예전에 느꼈던 불편함과 불안감, 억울함이 복잡한 이해로 변해가기 시작했다.

집안에서 들려온 부모님의 싸움 소리와 문을 박차고 나가는 분노에 찬 아저씨의 얼굴을 떠올리며, 하진이가 그런 환경 속에서 얼마나 힘들어 했을지 생각하게 되었다. 하진이의 차가운 표정 뒤에 숨겨진 상처와 외로움이 안쓰럽게 느껴졌다. 어쩌면 하진이도 자신처럼 외로웠을지도 모른다는 생각이 들었다.

선아는 하진이를 미워하는 대신, 하진이도 자신처럼 사랑과 관심이 필요했을 거라는 생각이 들었다. 그러자 선아의 마음은 한층 부드러워지며 하진이를 이해하고 싶은 감정이 생겨났다.

지나간 추억을 떠올리며 선아는 어쩔 줄 몰라하는 유노를 바라보았다. 이혼한 엄마하고만 살고있는 유노는 가연이가 가족사진을 보고 행복해하는 모습을 보고, 순간적인 질투와 억울한 마음에 자신도 모르게 그 사진을 망가뜨리고 싶다는 충동을 느꼈으리라.

그러나 그 행동이 가연이에게 얼마나 큰 상처를 줄 것인지까지는 미처 생각하지 못했을 듯했다. 유노의 장난은 그 아이가 겪고 있는 외로움과 자신이 갖지 못한 것에 대한 절망감의 표현이었을 것이다. 유노는 자신의 행동이 불러온 참담한 결과를 마주하고 진심으로 반성하는 표정을 보여주었다.

가연이의 가족사진에 그려진 크레파스가 조금씩 지워지기 시작했다. 같이 근무하는 박 선생이 아세톤과 면봉을 가져다줘서 사진의 낙서 부분을 천천히 지워봤다. 너무 세게 문지르지 않도록 조심하면서, 최대한 부드럽게 작은 동작으로 낙서를 제거해 나갔다.

시간이 지나면서 점점 낙서가 옅어지기 시작했다. 결국, 크레파스 낙서는 완벽하게 지워지지는 않았지만, 그래도 처음보다 훨씬 나아진 상태로 복구할 수 있었다. 가연이는 사진의 흠집이 남아있긴 하지만, 이 순간을 교훈 삼아 더 소중하게 보관할 거라고 말했다. 가연이의 해맑은 미소가 너무 사랑스러웠다.

모모와 루루

모모와 루루

김홍신 문학관에 귀여운 진돗개 두 마리가 놀러 왔다가 아예 자리를 잡았다. 조각가 김용수 씨가 상월면 작업실에서 키우는 진돗개가 새끼를 여섯 마리나 낳았다고 했다. 자랑하려고 그중 두 마리를 데리고 왔다.

한 마리는 수컷이고 다른 한 마리는 암컷이었다. 햇살을 받아 반짝이는 하얀 털은 부드러운 바람결에 실려 온 순백의 새벽안개 같기도 하고, 땅 위를 떠다니는 작은 구름처럼도 보였다. 김용수 씨의 의도인지 아닌지는 모르겠지만, 관장님과 직원들은 강아지의 귀여운 애교에 홀딱 반하여 문학관 잔디밭 한쪽 구석을 집으로 내주고 말았다.

‘이름을 뭐라고 부르지?’

관장님은 김홍신 작가님의 호가 ‘모루’니까 앞글자와 뒷글자를 하나씩 더 하여 모모와 루루로 이름을 지었다.

모모와 루루는 문학관의 너른 잔디밭을 신나게 달리기도 하고, 자신의 작은 꼬리를 쫓아 뱅뱅 돌기도 했다. 서로의 귀를 부드럽게 핥아주다가 가볍게 물거나 하면서 장난을 치며 놀았다. 연못이 흐르는 작은 수로에서는 물장구를 치다가 배를 깔고 꾸벅꾸벅 졸기도 했다. 그럴때면 누구든지 핸드폰을 들이대며 사진을 찍어댔다. 관람객들마저 강아지들의 장난에 흠뻑 매료되었다. 그들은 차츰차츰 문학관의 마스코트가 되어가고 있었다.

그러던 어느 날 주변 원룸과 주택에서 민원이 들어오기 시작했다. 개 짖는 소리 때문에 잠을 잘 수 없다는 이웃들의 불만이었다. 문학관 직원들은 회의를 하였다. 모모와 루루가 많은 사람들에게 행복을 주고 있지만, 불편을 겪는 이웃들도 있다는 점을 고려하여 다른 장소로 옮기는 것이 좋겠다는 의견이 모아졌다. 문학관 마당을 뛰어다니며 모모와 루루와 놀았던 시간이 추억으로 남게 된다는 사실에 모두의 마음이 무거웠다.

많은 고민을 거쳐 수컷인 루루는 문학관에 자주 오시는 상월 대명리에 있는 작은 암자의 광덕 스님이 데려갔다. 모모는 관장님이 자택에서 키우기로 했다.

모모의 오아시스

모모가 새로운 삶을 시작한 먹골동 관장님 사택은 도심 한가운데 숨겨진 보석 같은 공간이었다. 사택 주변은 높은 아파트들과 시청, 관공서 건물들로 빽빽하게 둘러싸여 있지만, 사택 안은 사막 한가운데의 오아시스처럼 고요하고 고즈넉했다. 그곳에서 마주하게 되는 정원은 자연의 품에 안긴 작은 세계 같았다. 정원의 중심에는 반듯하게 잘라놓은 듯 평평하고 거대한 돌이 자리 잡고 있었다. 이 돌은 대지의 힘을 응축한 듯 단단하고 묵직하며, 세월의 무게를 견딘 듯, 한결같은 존재감을 뽐냈다.

그 옆에 서 있는 오래된 소나무는 세월의 지혜를 품은 수호자 같았다. 밖으로 살짝 기울어져 있는 소나무 가지는 바깥세상이 궁금하기라도 하듯이 길게 가지를 뻗고 있었다. 가지 끝에 매달린 잎들은 바람 따라 하늘하늘 춤을 추었다.

정원 주위로는 관장님이 정성껏 가꾼 작은 텃밭이 둘러싸고 있었다. 이 밭은 계절마다 옷을 갈아입듯 다양한 색으로 변하며, 사택에 생명력을 불어넣었다. 모모는 그사이를 뛰어다니며 신선한 채소의 향기를 맡았다. 방울토마토가 열리면 호기심에 코를 킁킁거리기도 하고 이빨로 깨물기도 했다.

정원을 둘러싼 낮은 담벼락에 모모는 언제든지 두 발을 담벼락 위에 올려놓고 지나가는 사람들을 바라보았다. 모모의 이런 행동들은 온통 사람들의 시선을 받았다. 사람들은 처음에 모모의 모습을 보고 깜짝 놀라거나 무서워했다. 그러나 모모의 커다란 눈망울과 폭풍애교에 마음을 열었고, 가끔 간식을 가지고 와 모모에게 환심을 사기도 했다.

루루의 고행

상월 대명리의 작은 암자. 그곳은 깊은 산속에 자리 잡고 있었고, 세상의 소음은 이미 산자락에서 사라지고 없었다. 바람이 나뭇잎을 스치는 소리, 멀리서 들려오는 새들의 노래 그리고 간간이 들려오는 목탁 소리만이 이곳의 유일한 배경음이었다.

그러나 그 평화로운 고요함은 루루에게는 낯설기만 했다. 낯선 환경에 대한 불안감 때문인지 점점 예민해져갔다. 밤이 되자, 루루는 주변의 작은 소리에 반응하기 시작했다. 바람에 흔들리는 나뭇가지 소리, 바깥에서 지나가는 짐승들의 발소리, 그리고 어둠 속에서 느껴지는 알 수 없는 기운에 참을 수 없는 불안감을 느꼈다. 결국, 루루는 밤새도록 짖어대기 시작했다. 짖는 소리는 암자의 고요함을 깨트리며, 조용한 밤을 뒤흔들었다.

광덕 스님은 루루의 마음을 이해하고 달래려 했지만, 매일 이어지는 짖음은 점점 더 큰 부담이 되었다. 방문객들이 참선을 하거나 스님들이 수행하는 중에도 짖어댔고, 주변의 작은 움직임에도 민감하게 반응했다. 절의 스님들과 방문객들은 이런 행동에 점차 어려움을 느끼기 시작했다.

스님들은 결국 모여서 루루의 짖는 소리에 대해 논의했다. 결국, 광덕 스님은 그에게 적합한 새로운 집을 찾기 위해 고민하였다. 마침, 절에 온 반야 식당 주인이 불쌍한 루루의 처지를 헤아려 자신이 데리고 가겠다고 말했다.

위안의 빛, 모모의 이야기

긴 원피스를 입고 머리를 하나로 묶은 상은이 골목길에서 초조하게 서성였다. 핸드폰을 귀에 바짝 붙인 채 연신 길 이쪽과 저쪽을 번갈아 쳐다보았다. 마침, 일을 마치고 집으로 들어가려는 관장님과 마주쳤다. 그녀는 조급한 눈빛으로 다가가 말했다.

"관장님… 어떡해요"

"어, 상은 씨, 무슨 일 있어요?"

관장님은 상은의 얼굴을 보자마자 무언가 심상치 않다는 걸 느꼈다.

"모모가… 사라졌어요."

상은의 목소리가 떨렸다.

"남편이랑 모모랑 같이 있었는데 갑자기 모모가 어딘가로 뛰쳐나갔어요. 지금 남편이 찾으러 다니고 있어요"

그 순간 상은의 핸드폰 벨이 울리자, 급히 귀에 가져다 대며 말했다.

“찾았어? 모모랑 같이 오고 있다고? 아휴, 다행이다, 관장님! 모모 찾았대요. 남편이 데리고 오고 있대요”

상은은 자신이 부주의해서 이런 일이 벌어졌다는 미안함과 불안이 뒤섞인 표정으로 말했다.

“사실… 제가 갑상선암 판정을 받아 다음 주에 수술을 앞두고 있어요. 그래서… 요즘 너무 우울한데, 모모를 보면 마음이 좀 편해지더라고요. 다른 지역으로 이사했는데도 이렇게 보러오게 되네요”

관장님은 상은의 어깨에 따뜻하게 손을 얹으며 위로의 말을 건넸다.

“상은 씨, 많이 힘들었지요. 우리 대문은 언제든 열려있어요. 모모가 보고 싶을 때 찾아오세요”

“정말 고마워요, 관장님.”

언제나 반짝이는 눈빛과 쉼 없이 꼬리를 흔들어 반가움을 표현하는 모모는 상은의 마음을 풀어주는 열쇠였다.

잃어버린 자유, 깊어지는 허전함- 루루의 이야기

루루가 상월 대명리의 작은 암자에서 반야 식당으로 입양된 후, 처음에는 식당 주인과 손님들의 따뜻한 환대 속에서 새로운 환경에 적응하는 듯 보였다. 그러나 시간이 지나면서 상황은 점점 나빠지기 시작했다.

반야 식당의 마당은 늘 다양한 사람들로 붐비는 곳이었다. 오가는 사람들 때문에 개줄에 묶인 채로 제한된 공간에서만 생활해야 했다. 식당 손님들이 다가와 머리를 쓰다듬고 간식을 주기도 했지만, 그 순간은 금세 지나가고, 다시 혼자 남겨졌다. 식당의 분주한 분위기 속에서 자신이 설 자리를 찾지 못하는 것 같았다.

하루종일 같은 자리에서 사람들을 바라보는 루루의 눈빛은 점점 쓸쓸해졌다. 예전의 활기찬 모습은 찾아볼 수 없었다. 주인의 손길이나 손님들의 관심도 큰 위로가 되지 못했다. 마음 깊은 곳에서 허전함이 느껴졌고, 시간이 지날수록 그 감정은 더욱 커져만 갔다.

꿈을 찾아가는 골목길- 모모와의 만남

머릿속이 복잡해진 종훈은 고개를 푹 숙인 채 골목길을 터덜터덜 걸어갔다. 괜스레 한숨만 나왔다.

“종훈아, 오늘까지는 결정해야 해. 교과 전형인지 종합 전형인지”

담임 선생님은 오늘 안으로 대학 전형을 선택하라고 했지만, 그게 정말 자신에게 맞는 길인지조차 알 수 없었다. 대답은커녕 고개만 숙인 채 아무 말도 하지 못했다. 대학에 가야 할지, 그것조차 의문이었다. 학교에서는 그저 성적에 맞춰진 하나의 숫자로만 존재하는 느낌이었다. 진정한 자신으로서의 의미를 찾을 수 없었다. 매일 반복되는 일상 속에서 자아를 잃어버린 듯한 공허함이 마음속에 점점 더 커져만 갔다.

그때, 문득 누군가 자신을 지켜보는 느낌에 고개를 들어보았다. 눈처럼 새하얀 털을 가진 진돗개 한 마리가 담벼락 위에 두 발을 올리고 조용히 그를 응시하고 있었다. 마치 오래전부터 종훈을 기다렸다는 듯 고요한 눈빛이었다. 작은 귀와 둥근 눈, 그리고 살랑이는 꼬리는 그 개가 결코 위협적이지 않다는 것을 말해주고 있었다. 종훈은 망설임 없이 손을 내밀었다.

"너… 이름이 뭐니?"

작은 개는 낯선 종훈을 두려워하지 않고, 천천히 다가와 그의 손을 조심스레 핥았다. 종훈은 자신도 모르게 미소를 지었다. 개는 아무런 판단이나 의심 없이 맑은 눈동자로 그를 바라보고 있었다.

"넌 참… 나를 알아봐 주는구나"

종훈은 마치 속삭이듯 혼잣말을 했다.

그날 이후, 종훈은 그 골목길을 자주 찾았다. 개의 이름은 '모모'였다. 모모는 그의 이야기에 조용히 귀를 기울여주었다.

모모와 함께 보내는 시간은 종훈에게 마법 같은 순간들이었다. 혼자일 때 느끼던 공허함이 모모와 함께할 때는 어느새 사라지고, 마음 한구석이 따스해졌다. 모모는 종훈에게 특별한 친구가 되었다. 덕분에 종훈은 문득 자신이 진정으로 원하는 것이 무엇인지 생각해보기 시작했다.

어느 날 종훈은 모모의 머리를 쓰다듬으며 조용히 말했다.

"모모야 네 덕분에 나 자신에 대해 많이 생각해봤어. 학교에서 성적이나 숫자로만 존재하는 내가 아니라, 진짜 '나'가 누구인지 말이야. 이제야 내가 진짜 원하는 게 뭔지, 어떤 길로 가야 할지 조금씩 보이기 시작한 것 같아"

종훈의 눈빛은 어느새 확신에 차 있었다.

"펫시터라는 직업이 있더라고. 사람들이 집을 비울 때, 반려동물을 돌봐주는 거야. 그런 일을 하면 좋을 것 같아. 널 돌보는 것처럼 말이야"

모모는 여전히 맑은 눈동자로 종훈을 바라봤다.

종훈은 모모와의 만남을 통해 자신만의 꿈을 그려가기 시작했다. 펫시터가 되어 동물들에게 위로와 안식을 주는 사람이 되는 것, 그리고 자신도 그 속에서 행복을 느끼는 삶. 그 꿈을 이루기 위해 결심했다.

"모모! 덕분에 내가 정말 하고 싶은 것을 찾았어. 고마워!"

그렇게 종훈의 꿈은 서서히 구체화하기 시작했다. 단순히 동물을 돌보는 것을 넘어, 그들에게 진정한 위로와 안식을 줄 수 있는 사람이 되고 싶었다. 그 꿈을 이루기 위해 열심히 공부하기 시작했다. 관련 자료를 찾아보며, 펫시터가 되기 위해 필요한 자격증과 기술을 배우기 시작했다.

이제 종훈의 발걸음은 더 이상 흔들리지 않았다.

햇살을 만난 작은 별 루루

반야 식당의 마당 한구석에는 목줄을 길게 늘어뜨린 채 손님들이 오고 가는 모습을 지켜보는 루루가 있었다. 늘 반복되던 평범한 하루 속에서, 어느 날 작은 변화가 찾아왔다. 그날은 조금 특별한 날이었다.

한 가족이 밝은 햇살과 함께 식당으로 들어섰다. 휠체어에 탄 아저씨와 그의 아내, 그리고 해맑은 미소를 띤 어린 딸과 아들이었다. 아이들이 루루를 발견하자마자 외쳤다.

"엄마, 강아지가 우리를 쳐다보고 있어요. 우리랑 놀고 싶은가 봐요!"

아이들이 신나서 외쳤다. 루루는 그들이 다가오는 걸 보며 긴장한 듯 꼬리를 흔들기 시작했다. 아이들이 손을 뻗어 루루를 쓰다듬을 때마다 루루의 눈빛은 점점 더 부드러워졌고, 그 모습에 아이들은 더욱 기뻐하며 웃음을 터뜨렸다.

"아저씨! 이 강아지 이름이 뭐예요?"

그 모습을 지켜보던 식당 주인에게 아이들이 물었다.

"루루란다"

"루루? 이름도 예쁘다. 루루야, 우리 공놀이 하자!"

아이들은 차에서 공을 가져와 루루와 함께 공놀이를 시작했다. 루루는 마치 어린 강아지로 되돌아간 듯 활기차게 뛰어다니며 즐거워했다. 그 광경을 지켜보던 식당 주인은 휠체어에 앉은 민재 부부에게 다가가며 말했다.

"아이들이 루루랑 정말 잘 놀고 있네요. 이렇게 활기차게 뛰어노는 모습은 오랜만에 보는 것 같아요."

아이들과 루루가 함께 노는 풍경은 그들 모두에게 따뜻함을 선사했다.

잠시 후, 식당 주인은 조심스럽게 민재에게 물었다.

"혹시… 죄송하지만, 왜 휠체어를 타게 되셨는지 여쭤봐도 될까요?"

민재는 잠시 망설이다가, 깊은숨을 내쉬며 차분히 대답했다.

"번지점프 사고 때문이에요"

식당 주인은 놀란 듯 물었다.

"번지점프요?"

"네, 젊었을 때는 아내랑 번지점프를 자주 했어요. 스릴을 좋아했거든요"

민재는 애써 밝은 표정을 지어보려 했지만, 입가에 미묘한 슬픔이 스쳤다.

"하지만 마지막 번지점프에서 사고가 났어요. 장비가 오래돼서 끊어지는 바람에 아래로 추락해 하반신이 마비됐죠"

"그런 일이 있었군요… 정말 안타깝습니다"

"처음엔 정말 힘들었어요. 아이들과 마음껏 뛰어놀 수도 없고… 하지만 이렇게 루루가 아이들과 함께 신나게 뛰노는 모습을 보니까 마음이 한결 가벼워지네요"

식당 주인은 잠시 생각하더니 민재에게 조심스럽게 물었다.

"아이들이 루루를 이렇게 좋아하니, 데리고 가서 키워보는 건 어떠세요? 식당이 워낙 바쁘다 보니 루루에게 신경을 못 써줘서 미안했는데, 이 아이들이라면 루루랑 잘 지낼 것 같아요"

아이들과 함께 신나게 뛰노는 루루를 바라보던 민재는 마음속에 있던 무거운 돌덩이가 서서히 녹아내리는 듯한 기분을 느꼈다. 민재와 아내는 따뜻한 미소를 주고받으며 식당 주인의 제안을 받아들였다.

그렇게 루루는 새로운 가족과 함께 반야 식당을 떠났다. 한때는 마당 구석에서 외롭게 지냈지만, 이제는 아이들의 웃음과 사랑 속에서 자유롭게 뛰어놀며 새로운 삶을 시작할 수 있게 되었다.

루루에게도 드디어 진정한 가족이 생긴 것이다.

인생의 불규칙한 궤적

어스름한 새벽, 테니스 코트에 도착했다. 잠시나마 스치는 바람이 무거운 마음을 식혀주었다. 발밑에서 느껴지는 인조 잔디의 탄탄함과 흙냄새 섞인 부드러운 공기가 코를 간지럽혔다. 2대2 팀전이 시작되었다. 다들 긴장한 얼굴로 경기에 몰입했다. 내 차례가 왔다. "팡!" 소리와 함께 라켓으로 공을 때렸다. 순간 나의 모든 감각이 집중됐다.

'이건 확실히 넘길 수 있겠다!'

자신감이 생겼다. 왼손으로 공의 위치를 잡고 어깨를 돌리면서 공이 떨어지는 궤적을 좇았다. 라켓이 마치 연장된 내 팔처럼 느껴졌다. 공을 때리는 순간 경쾌한 소리가 울렸다.

그런데 공이 네트를 넘기자마자 코트 밖으로 훌쩍 날아가 버렸다.

'아이고 발리(네트로 전진하여 코트 중간에서 공을 받아넘김으

로써 상대방이 이를 따라 잡을 시간적 여유를 갖기 어렵게 만드는 것)로 쳐야 했는데…'

나는 속으로 중얼거렸다. 후회할 틈도 없었다. 이미 한 점을 잃었고 같은 팀원에게 미안한 마음이 들었다.

공이 다시 날아왔다. 이번에는 더 신중하게 완벽한 각도를 맞춰 치려 했다. 그러나 또다시 예상치 못한 일이 벌어졌다. 공은 라켓 끝을 살짝 스치고 '탱!' 하는 쇳소리를 내며 네트를 넘었다.

'이번에도 실패구나!'라는 생각이 머릿속을 스쳤다. 그러나 놀랍게도 그 공은 상대 코트 깊숙이 꽂혔다.

"와우! 역전이다!" 팀원의 환호가 울려 퍼졌다.

테니스란 참으로 예측 불가능한 운동이다. 조금 전까지 실패로 느꼈던 샷이 득점으로 이어지기도 하는 반면 완벽하게 맞췄다고 생각한 공은 허무하게 라인 밖으로 벗어나고야 만다. 점수는 엎치락뒤치락하며 긴장감이 고조됐다.

그날의 승부는 연장전까지 이어졌다. 결국 우리 팀은 두 점 차로 졌지만 후련함이 가슴 가득 채워졌다. 우리는 최선을 다했고 그 자체로 충분했다. 경기는 때로는 인생과도 같다. 예측할 수 없는 순간들이 쌓여 하나의 이야기를 만들어내며 노력의 결과가 예상과 다를지라도 그것이 주는 만족감은 값지다.

게임이 끝난 후 벤치에 앉아 물을 벌컥벌컥 들이켰다.

"서영 씨, 접촉사고가 났대. 뒤에서 졸음 운전한 차가 받았나 봐. 지금 병원에 입원해 있대"

매일 아침 꾸준히 운동을 나오는 난영 언니가 걱정스러운 눈빛과 함께 안타까운 목소리로 내게 소식을 전했다.

"정말요? 많이 다치셨대요?"

나는 예상치 못한 소식에 당황한 채 조심스레 물었다.

"뒷목이랑 어깨가 아프다더라. 그래서 지금 병원에 있대"

순간, 그동안 늘 활기차게 운동하던 서영언니의 모습이 떠올라 마음이 무거워졌다.

"테니스도 당분간 못 친다고 많이 우울해하더라. 그래도 며칠 있다 다시 돌아올 거니까 너무 걱정하지 말래"

난영 언니의 마지막 말은 위로하려는 듯했지만, 서영 언니의 힘든 마음이 고스란히 전해졌다. 그녀가 얼마나 운동을 사랑하고 일상에서 활력을 찾았는지 잘 알기에 마음 한구석이 쓰렸다. 그리고 내가 겪은 사고의 기억이 머릿속을 스쳤다. 마치 먼지처럼 가라앉아 있던 기억이 한순간에 떠올라 마음 한구석을 찌르는 듯했다.

그날 아침 테니스 경기를 마치고 땀을 대충 씻어낸 후 젖은 머리를 말리고 서둘러 출근길에 올랐다. 차선이 넓게 펼쳐진 사차선 도로에서 신호가 바뀌는 걸 보고 천천히 브레이크를 밟으며 멈추려던 순간이었다. 졸리지도 않았는데 몸이 마치 물에 젖은 종잇장처럼 힘없이 무너지는 듯했다. 도로는 갑자기 기묘한 정적에 휩싸였다. 내 앞에 펼쳐진 세상은 까맣게 가라앉았다.

'왜 이렇게 깜깜하지?'

창밖의 풍경은 보이지 않았다. 나만 홀로 우주에 떠 있는 것처럼 공허한 고립감이 밀려왔다. 그 순간 나는 내가 어디에 있는지도 가늠할 수 없었다.

그때 '쿵!' 하고 무언가가 내 차 앞 범퍼에 부딪쳤다. 앞에 있는 흰색 제너시스가 비상 깜빡이를 깜박이며 멈춰 있었다. 두 여성이 차에서 내렸다. 둘 다 50대쯤 되어 보였다. 운전석에서 내린 여자는 갈색 올림머리에 골프복을 입고 있었다. 조수석에서 내린 여자 역시 단발머리에 단정한 옷차림이었다. 그들이 나에게 천천히 다가오자 마치 영화의 한 장면처럼 모든 것이 비현실적으로 보였다. 갈색 올림머리의 여자가 걱정스러운 얼굴로 말했다.

"어머나 어쩌다가 이렇게 됐어요? 차를 저쪽 갓길로 옮기세요"

그녀의 말을 듣고 당황한 나는 서둘러 제너시스 차를 따라가 갓길로 옮겼다. 차들이 경적을 울리며 빠르게 지나가는 사이 마음 속에 초조함과 긴장이 더욱 짙어졌다. 갈색 머리의 여자가 다가와 자신의 차를 살펴보더니 사진을 찍으며 말했다.

"다른 사람 같았으면 뒷목 잡고 나왔을 거예요. 뒷번호판 가운데만 조금 들어갔네요. 우리 신랑에게 전화 좀 해볼게요. 그쪽도 사진 찍어두세요"

나는 얼떨결에 사진을 찍고 그녀가 남편과 통화하는 모습을 지켜봤다.

곧 그녀는 내게 전화기를 건네주었다.

"안녕하세요, 제가 남편인데요. 사진을 보니 크게 문제는 없을 것 같네요. 번호판 교체 비용 정도면 될 거예요. 너무 걱정하지 마세요"

전화기 너머로 들려오는 차분한 목소리는 예상 밖의 친절함을 느끼게 했다. 나는 깊은 한숨을 내쉬며 죄송하다는 말을 몇 번이나 반복했다. 그는 상냥하게 대답하며 저녁에 다시 연락하겠다고 말했다. 전화기를 그녀에게 건네주었다.

"우리니까 덤탱이 안 씌우는 거예요. 안전 운전 하세요~"

갈색 머리 여자가 말한 후 약속이 있어 가야 한다며 서둘러 어디론가 떠났다.

나는 한참 동안 멍하니 서 있었다. 마치 영화 속 대사처럼 갈색 머리의 여자가 마지막으로 던진 한마디가 내 귓가에 맴돌았다.

"우리니까 덤탱이 안 씌우는 거예요"

그녀의 말은 나에게 운이 좋다는 듯 들렸다. 차분한 태도 덕분에 마음이 조금 놓이긴 했지만, 여전히 어딘가 불편한 감정이 가슴 한편에 남아 있었다.

차에 올라 운전대를 다시 잡았을 때도 묘한 불안감이 여전히 가시지 않았다. 세상엔 정말 착한 사람들이 많을까? 방금 내게 친절을 베풀어준 이들이 그저 운이 좋은 예외였던 걸까? 머릿속에서 끊임없이 의문이 떠올랐다.

얼마 후 그녀에게서 다시 전화가 왔다. 이번에도 상냥한 목소리였다.

"운전 조심하시고, 졸지 마세요~"

나는 감사 인사를 전했지만 혼란스러움은 여전히 가시지 않았다. 문득 차분한 그녀의 말투와 상냥한 태도가 인생에서 내가 생각하지 못한 또 다른 측면을 보여주는 것만 같았다.

출근하자마자 나는 박쌤에게 사고 이야기를 털어놓았다. 신중히 내 얘기를 듣더니, 잠시 생각에 잠긴 듯 말했다.

"다행이긴 한데 딴 말 할 수도 있을 거 같은데요?"

나는 고개를 저으며 말했다.

"아니에요, 그 사람들 정말 친절했어요. 번호판 교체 비용만 받는다고 했다고요"

자신 있게 말하면서 상황이 깔끔하게 정리되었다는 안도감을 느꼈다. 아침의 상냥한 태도가 모든 문제를 해결해 줄 것이라 믿었다.

그러나 퇴근 후 걸려 온 전화는 나를 당황하게 했다. 아침의 친절했던 목소리와는 달리 차주 남편은 차분하지만, 날카로운 어조로 말했다.

"안녕하세요! 차 상태를 다시 보니 번호판만 문제가 아니더군요. 윗부분도 긁혔고 다른 곳도 미세하게 손상된 부분이 있어요. 차 뽑은 지 2년도 안 됐어요. 50만 원만 주시면 깔끔하게 해결할 수 있습니다. 아니면 보험처리 하시던지 오늘 중으로 결정하세요. 계좌번호는 문자로 보내드리겠습니다"

전화기를 들고 있는 동안 내 머리는 하얘졌다. 아침의 친절함이 무색할 정도로 상황은 뒤바뀌었고 박쌤의 경고가 그대로 현실이 되었다. 믿고 있던 것이 한순간에 무너지는 느낌이었다. 주변 사람들에게 물어보니 50만 원까지는 현금으로 합의해도 큰 문제가 없지만, 그 이상이면 보험 처리를 하는 게 낫다고 했다. 더구나 피해자가 병원에 가면 보험 청구 금액이 커질 뿐만 아니라 내 보험료까지 오를 위험이 있다고 했다.

고민 끝에 나는 결국 50만 원을 이체하기로 했다. 입금 명세 문자를 보내자 곧바로 '확인했습니다'라는 짧고 건조한 답장이 돌아왔다.

모든 것이 끝났다는 후련함이 몰려왔지만, 동시에 마음 한구석에는 씁쓸함이 자리잡았다. 마치 내 인생이 바람 빠진 풍선마냥 축 처져버린 것 같았다.

삶은 때때로 힘껏 당겨진 활시위가 예기치 않은 순간에 풀려나듯 나를 놓아버린다. 버티고 또 버티던 긴장이 한순간에 풀어지며 방향을 잃고 내가 통제할 수 없는 속도로 흘러간다. 그 반동은 늘 더 깊고 더 강하게 다가와 나를 흔들리게 한다.

그리고 그 흔들림 속에서 온몸으로 느꼈다. 아무리 강하게 버티려 해도 인생은 늘 내가 예상한 대로 흘러가지 않는다는 사실을. 테니스 경기처럼 승패는 언제나 내 손에 달린 것이 아니며 때로는 아무리 최선을 다해도 공은 엉뚱한 방향으로 튀어 오르기 마련이라는 것을.

그날의 사고는 나에게 단순한 사건 이상의 의미로 다가왔다. 마치 테니스에서 공의 불규칙한 궤적을 읽고 다시 자세를 잡아내는 것처럼 인생에서도 예상치 못한 충격 앞에서 잠시 흔들릴지라도 다시 일어서야 한다는 것을.

그렇게 나는 조용히 바람이 빠져버린 풍선처럼 가라앉은 마음을 추스르며 다시 일어섰다.

다시 라켓을 잡고 인생이라는 궤적을 따라 크게 휘두른다. 공이 어디로 튈지 몰라도 꾸준한 노력과 유연한 대응으로 최선을 다해 새로운 삶의 균형을 찾아갈 것이다.

| 03 |

부족한 죄인

무계윤

에세이

무게윤

이제는 말과 글보다는 행동이 필요할 때가 왔다. 엄마에 대한 끊임없는 사랑과 가엾게 여기는 마음이 있어야 가능할 것이다.
그는 부모님의 기대와 사랑의 빚을 갚기에는 턱없이 '부족한 죄인'이지만 역할을 다하여 후회 없기를 바랄 뿐이다.
그가 만들고 싶었던 '작품'도 가족과 그와 함께 일하고 사회에서 만났던 사람들과의 공동으로 만들어야 한다는 것도 깨달았다.
그는 그가 기업과 대학에서 주로 했던 '상품기획' 일이 지역 사회에 어떻게 도움을 줄 수 있는지 찾고 있다.
그가 쓴 책 중에 '삶의 지혜 나눔(공저)' '글로컬 마케팅 라이프' '어머니 사랑(공저)'이 있다.

부족한 죄인

'부족한 죄인'

구정 명절 연휴 기간에 그는 편안하게 명절을 보낼 수가 없었다. 기침 가래로 계속 힘들어하던 엄마가 열이 솟구친 것이다. 급하게 의원으로 가서 보니 폐렴이라는 것이었다. 노인이라 위급해질 수 있어서 대학병원 응급실로 이송되어 새롭게 사진을 찍고 검사를 했다. 폐렴보다는 심부전증으로 폐에 물이 찼으니 그것부터 빼야 했다. 부정맥과 심부전도 연관되어 있다고 했다. 의료 분쟁 초기 단계로 불안한 환자들이 몰려와 소화기내과 병동에는 빈 병실이 없었다. 선택권이 없던 그는 할 수 없이 신경정신과 병동 6인실에 엄마를 입원시켜야 했다.

이 병실에서는 예상하지 못했던 일들이 매일 벌어졌다. 밤마다 건너편 병상 할머니가 '천정에서 귀신이 내려온다'라고 하면 둘째 딸이란 여자가 '무슨 귀신이 있냐고 못 살겠다'라고 했다, '이년아 네가 어디 갔다 인제 와서 큰소리냐'하고 계속 싸운다. 한쪽에서는 좀 배운 것 같은 중년 여자가 정신병으로 입원한 사실을 인정할 수 없는지 아들에게 신세 한탄을 했다. 한 간병인은 약을 먹지 않겠다고 고집부리는 환자를 어떻게 해야 할지 몰라 안절부절못했다.

정도에 따라 다소 차이가 나지만 며칠 사이로 입원한 환자와 간병인들의 모습은 엇비슷했다. 24시간 이런 소음을 그대로 고스란히 들을 수밖에 없는 병실은 그를 더욱 지치게 했다. 좁은 공간에서 비몽사몽 중에 시도 때도 없는 소변, 피, 혈액, 수액 검사로 잠을 잘 수가 없다. 심지어 환자가 식사 중에도 피검사를 빨리하고 다른 곳에 가야 한다고 주삿바늘을 꽂으려 했다. 밤새도록 시달리다 보면 어느새 아침 식사 차가 된장 냄새를 앞세우고 우르르 들이닥친다. 그를 더욱 힘들게 하는 것은 엄마가 다른 사람들 식사 중에 계속해서 가래를 뱉는 것이었다. 허둥지둥 식사를 일찍 마치게 하고 밖으로 나가려 하면 '아들 식사해야 나간다'라고 고집을 피웠다. 밤과 낮 구분을 못 하고 아들과 며느리를 남편과 딸로 착각하고 헛것이 보인다고 했다.

집에 온 엄마가 '아이고, 죽겠어'라는 말을 입에 달고 살았다. 양쪽 무릎 관절 수술 후유증으로 뒤뚱거려 언제 넘어질지 모른다. 양쪽 귀까지 잘 안 들려서 목소리가 너무 커졌다. 곁에 있는 사람이 대꾸하기 힘이 든다. TV, 전기장판, 전등 스위치를 헷갈린다. 밥이 있나 수시로 전기밥솥을 열어본다. 더 힘들게 하는 것은 항상 '부족한 죄인'이라는 말을 입에 달고 산다. 죄인이라니, 무슨 죄를 지었다는 것인지, '아이고 죽겠어'라고 너무 자주 해서 그러지 말라고 했더니 '부족한 죄인'으로 바뀐 것이다. 이제 어떻게 해야 할지 모르겠다. 무릎 수술로 다리 힘이 없어 넘어지려 하고 귀가 매우 어두워 들리지 않는 것이 부족하다는 건가? 남편을 먼저 보내고 30년 동안 외롭게 살아온 것에 대한 회한도 있을 것이다. 게다가 더 심해진 단기 기억상실증으로 몸과 마음이 힘들어 무의식적으로 나오는 말이겠지만 너무 자주 하여 머리가 아프다. 그리고 금방 그 말 좀 그만하라고 했는데 어떻게 방금 그렇게 잊어버릴 수 있을까? 일부러 그러나 의심도 해봤다. 잘 알아듣다 불리하면 '기억이 없다'라고 한다. 그가 황당한 표정을 지으면 엄마는 계면쩍은 표정을 지으며 씩 웃는다. 그가 외출할 때마다 어디 가냐고 계속 물어보는 것이 너무 힘들었다. 게시판에 써놓은 것을 또박또박 읽고 나서 금방 잊어 버렸다.

그는 엄마가 죄를 지었다고 할만한 일을 굳이 꼽자면 하나가 생각났다. 그가 어렸을 때 엄마가 새벽 일찍 부스럭거리며 일어나는 것을 느꼈다. 밖으로 나간 엄마가 물을 한 동이 가져다 돼지에게 먹이는 것이 들렸다. 이상하게 생각하고 있는데 돼지 장사들이 기다란 막대기 저울을 들고 들이닥쳤다. 밤새 배가 홀쭉해진 돼지를 사려고 상인들이 새벽같이 오는 것을 알고 선수 친 것이다. 그때 그는 잠결에도 '그건 아니다' 싶었다. 그게 다 아버지 우체국장 봉급으로는 자식들을 도시에 공부시키기에 빠듯했기 때문이었다. 어쩌다 그가 고향 집에 오면 아버지는 밭에 나가 일하는 엄마를 빨리 데려오라고 핀잔까지 했다. 그는 걸어가며 '왜 직접 가서 도와주고 같이 오지 않고 나보고 가라고 하나?' 하고 투덜댔다. '왜 아버지는 고생하는 엄마에게 짜증까지 낼까?' 엄마를 희생시키는 것이 미안하기도 하고 자식에게도 떳떳하지 못해서 일부러 그런 것 같다. 지금 생각해 보니 노지 딸기밭에서 종일 쪼그리고 앉아서 일할 때부터 엄마 무릎에 무리를 준 것 같다. 엄마는 그 당시에 동네 유지 소리 듣던 아버지 체면도 아랑곳하지 않고 자식들 교육비 보태려고 보따리 옷 장사도 했다. 가끔 도시 자취방에 반찬거리 주고 돌아가는 길에 상가에 들려 시골 아줌마들이 좋아할 옷가지를 한 보따리 사다 큰방에 펼쳐놓고 팔았다. 엄마가 흥정하다가 가격이 안 맞아 돌아서면 뒤에 대고 '뭐, 저런 사람이 다 있어~~' 라고 상인이 욕을 하기도 했다. 그는 옷 짐을 어깨에 메고 엄마 뒤를 졸졸 따라갔다.

엄마는 어려서 유모에게 받은 성경책을 시집올 때 가져와 올래

간직하고 있었다. 엄마는 교회에 나가고 싶었지만, 아버지가 끝까지 반대하여 결국 포기하고 말았다. 그가 5년 전 엄마와 4남매와 함께 쓴 '어머니 사랑'이라는 엄마 자서전 전반부에 '부족한 죄인'이 나온다. '부족한 죄인은 어릴 때 친정 우리 집 바로 옆에 사셨던 -중략-큰 죄인을 용서해 주시고 받아 주십시오, 하고 기도드리고 00 교회에 나가기 시작했습니다. '저는 나이 많은 큰 죄인입니다. 앞으로 여생을 진실한 마음으로 늘 감사 기도드리며 건강한 몸으로 살아가게 하여 주시옵소서.'

엄마는 어린 시절 아주 똑똑하고 이쁜 소녀로서 어른들의 귀여움을 많이 받았던 것 같다. 가끔 어린 시절 엄마 오빠들과 선생님들께 받은 칭찬을 회상하면서 자랑을 했다. 엄마는 보통학교를 우수한 성적으로 졸업하고 당시에 명문이었던 00고녀에 입학하여 일본인 교사 집에서 하숙하며 배구선수 생활을 하는 등 적극적인 학창 생활을 하였다. 엄마 큰오빠가 00 고녀 합격 전보를 받아들로 기뻐서 소리치며 대문을 박차고 들어왔다고 했다. 엄마는 고등학교를 졸업하고 잠시 고향에서 보통학교 교사 생활을 하였다고 했다. 그러던 어느 날 잘 사는 집을 돌아다니던 갓 쓴 중매쟁이가 '양조장을 물려받을 수 있다' 라고 하는 말에 엄마는 둘째 아들인 아버지와 혼인을 맺었다. 엄마는 시어머니 두 분을 모시는 불편한 시집살이를 시작해야 했다. 그의 할아버지가 둘째 아들인 그의 아버지에게 '사랑방에 있는 너희 둘째어머니를 잘 모셔라'라고 했다. 아버지는 '내가 왜 우리 어머니가 계시는데 둘째어머니를 모셔요?'라고 했다. 더구나 일정시대에 면장까지 하던 큰아버지가 '장남이 양조장을 물려받아야지 무슨 소리냐 젊은 너희 부부는 도시에 나가 살아라' 며 다그쳤다. 엄마는 아버지를 따라 도시 생활하게 되었다.

도시 생활을 몇 년 하던 아버지는 다니던 직장이 서울로 이전하는 것을 핑계 삼아 낙향하였다. 그러나 직장생활만 하던 아버지는 물려받은 논과 밭, 농사일하기에는 한계가 있었다. 그러던 중 60년대 개인이 대지와 건물을 제공하면 별정우체국을 운영할 수 있는 제도가 생겼다. 잔뜩 기대에 부푼 아버지는 면사무소 맞은편에 우체국을 신축하였다. 하지만 체신청에서 실사를 나와 위치가 대로변이 아니라는 이유로 3년간이나 우체국 지정 허가를 내주지 않아 속을 태웠다. 아버지는 하는 수 없이 1번 국도 면의 중앙에 있는 일정시대 농지은행 자리를 농협에서 불하받았다. 그렇게 아버지는 여러 해 동안 마음고생을 하고 할아버지 유산 중 제일 좋은 논을 처분하고 나서야 우체국장이 될 수 있었다.

그렇게 어렵게 된 우체국장이지만 말이 우체국장이지 그 당시 급여가 쌀 두 가마니에 해당하여 생활이 넉넉하지 못했다. 동네 사람들은 그의 남매가 귀하게 컸다고 하나 사실 그의 집은 아버지 박봉으로 근근이 살았다. 더구나 자식들을 도회지로 유학 보내느라 엄마는 여러 사람 몫의 일을 했다. 논농사 때마다 밥을 해 나르고 틈틈이 밭일에 집안일까지 해야 했다. 체면을 중요하게 여기고 자존심 강한 엄마지만 기대에 못 미치는 자식 뒷바라지를 위해서라면 무슨 일이라도 하겠다는 마음이었다. 하루에 한두 개 낳는 달걀까지 알뜰하게 아끼면서 엄마는 고깃국 한번 맘 놓고 먹지 못했다. 그렇게 부지런한 아내, 착한 며느리, 엄하고 지혜로운 엄마로서 맡은 일을 완벽하게 해냈다, 이런 엄마의 유일한 낙은 여고 동창생들과의 도시 나들이이었다. 초등학교 교장 사모로 온 선배를 통해 동창회 모임을 알게 되어 무척 반가워했다. 50대가 돼서야 외출다운 외출하던 날에 긴 한복 치마에 고무신을 신고 나갔다. 도시 선배들의 한바탕 웃음거리가 되고 말았다. 그 뒤, '움쩍거리면 돈이여' 라던 아버지가 비상금을 내놔 큰맘 먹고 양장을 장만해서 입고 나갔다.

엄마가 살던 시골에서는 저녁에 연기가 나지 않는 집도 있었다. 보리밥도 하루 세끼를 못 먹고 고구마나 푸성귀로 여러 식구 배를 채웠었다. 그래서 식구 하나라도 줄여 보려고 남의 집에 일손으로 자식들을 보냈다. 아들은 농사짓는 집에 머슴으로 들어가 농사일을 도맡아 했다. 그 대가는 먹여주고 재워 주고 추수가 끝나면 겨우 쌀 몇 가마 받아 가는 것이 전부였다. 딸들은 식모로 남의 집에서 밥하고 빨래하고 때로는 보모 역할까지 했다. 그러나 명절에 옷 한 벌과 여비를 주고 나이가 차면 시집갈 밑천에 보태라고 수고비를 조금 주고 보냈다.

엄마는 넉넉지 않은 형편에도 아버지 손님이 오면 부리나케 동네 가게에서 안줏거리를 사다가 술상을 정성껏 차려 냈다. 그때는 우체국에서 전화까지 운영하여 여러 교환수가 기계 앞에 앉아 수동으로 전화를 연결해주던 시절이었다. 교환수 누나들이 추운 겨울 연탄불에 구운 고구마와 가래떡을 얻어먹었다. 집배원 형들이 한 모금씩 준 막걸리 맛도 잊을 수 없다. 정이 많은 우체국 직원 어떤 형은 퇴직한 지 40년이 넘은 지금도 명절에 과일을 사 들고 찾아온다.

또한, 엄마와 가깝게 지내시던 0 중령 아주머니, 00당 약방 아주머니, 00네 엄마…. 모두 엄마를 친 자매처럼 좋아해서 자주 왕래 했던 분들이다. 옛날에는 은행이 가까이 없어 계 놀이를 많이 했는데 엄마는 계주를 오래 했다. 아마도 엄마가 정직하고 동네 중심에 우리 집이 있어서 그랬나 보다. 가끔 나쁜 아주머니가 곗돈을 먼저 타 먹고 도망가면 정말 동네가 시끄러웠다. 어떤 형이 월남에서 돌아온 날 그 집 빚쟁이들이 찾아와 빚잔치를 하던 모습도 기억이 난다. 아무튼 그의 집 근처가 동네 중심이다 보니 술주정뱅이들 지나가다 고함을 질렀다. 그렇게 면 소재지 중앙에 집이 있으니 어쭙잖게 주먹 자랑하던 건달들 싸우는 소리가 잦았다.

국화 철이 되면 그의 집 바로 뒤에 있는 초등학교에서 장학사 방문이나 환경미화 전시용으로 잘 키워진 국화 화분을 빌려 갔다. 우체국 사무실, 교회, 동네 회관 등에 국화 화분을 나눠 주기도 했다. 아버지가 출장 갔다 하나 들 사 온 난초와 분재, 꽃나무가 여기저기 흩어져 있다.

엄마는 불교 집안 무교 남편 반대로 교회를 너무 늦게 나갔지만, 기독교를 진심으로 믿었다. 근래에 장로님이 부축하며 다니던 교회를 무릎 관절 통증과 난청으로 포기하게 되었다. 치매가 생기기 전 올 초까지만 해도 주일성수를 지키며 집에서 혼자 기도를 끊임없이 했다. 정치에도 관심이 많아서 뉴스를 보고 나라 걱정도 했다. 적극적인 엄마는 여행도 좋아했다. 처음 가는 곳마다 '죽기 전에 못 와볼 뻔했다'라고 감탄사를 연발해서 모두를 즐겁게 했다. 신문에 나오는 한자 쓰기를 꾸준하게 하고 집안 대소사까지 꼼꼼하게 기록하고 기억했다. 텃밭에 무, 배추 등 채소를 심어놓고 틈틈이 가꿔 가져가기 싫다는 자식들을 나누어 주기도 했다. 무엇보다도 자손들이 건강하고 잘되라고 교회에서 예배드리고 기도하는 것을 제일 좋아했다. 엄마는 양반집에서 곱게 자란 기억과 공부 잘한 것에 자부심이 강해서 자랑도 많이 했다.

그런 엄마가 아버지가 급사한 충격으로 난청이 되고 수술한 무릎에 힘이 없어 뒤뚱거렸다. 더구나 치매까지 얻어 요양보호사와

며느리가 자주 왔다 갔다 해도 '우리 집은 2층이라서 종일 아무도 안 와 늙은이 혼자 외롭게 앉아 있다'라고 할 때가 많았다. 직접 겪어 보지 못한 사람들은 '치매가 노인 자신에게는 여러 가지 병과 가족 간의 갈등에 대한 걱정을 없애줘서 오히려 다행이다'라고 하지만 하루에 수없이 전화를 받고 같은 질문을 계속 받는 가족들은 치매가 무서운 병이라는 것을 실감하게 했다.

 # 부족한 아들

그가 학교에서 2등 했다고 하면 '1등은 누구고 무엇이냐'고 다그치는 엄마가 무섭고 서운했다. 그는 외아들에 대한 높은 기대에 초등학교 5학년 때 도시로 유학하면서 한껏 꿈에 부풀어 있었다. 교장실에서 인사하고 운동장을 걸어 나오며 정든 교정을 돌아보았다. 전날 비장한 각오로 '고진감래, 금의환향'이라고 대청 기둥에 쓴 글을 떠 올리며 깊은숨을 내쉬었다.

그는 도시로 유학 가던 날 택시를 처음 탔다. 아버지와 교감 선생님과 함께 신나게 타고 갔다. 교장 선생님이 '공부 좀 했구먼' 하며 흐뭇한 표정을 지었다. 큰누나가 대학을 졸업할 때까지 임시로 큰누나 친구 집에 하숙하게 되었다. 그렇게 전학한 그는 반에서 45등이란 비참한 성적에 큰 충격을 받았다. 도시 애들은 교과서 외에 참고서를 들고 다녔다. 큰누나가 같이 살게 되면서 점점 성적이 올랐다. 다음 해 졸업까지 차근차근 성적이 올라 60명 중 서너 번째 책상으로 올라갔다. 명문 중학교에 많이 합격시키기 위해 어린 초등학생들을 무리하게 매월 성적대로 자리를 옮기게 했다. 그때나 지금이나 우리나라 입시 경쟁이 너무 지나친 것 같다.

하지만 그는 중학교 입시 시험 제도가 없어지고 추첨으로 입학하는 첫 번째 사례가 되었다. 뺑뺑이를 잘못 돌려 변두리 학교에 배정을 받고 사전방문차 올라온 아버지 표정이 어두웠다. 작은누나도 도시 고등학교에 입학하면서 같이 자취를 하게 되면서 공부에 자신감이 생겼다. 수학 선생님은 칠판에 나가 수학 문제를 먼저 풀어보라고 했고 국어 선생님에게 '난중일기에 이순신이 두 명이 있는데 잘못된 것 아니냐?' 영어 선생님에게는 '다른 반 영어 선생님이 채점을 식모에게 맡겨서 우리 반 영어 성적이 전교 석차에서 불리해졌다'라고 따지기도 했다. 미술 선생님에게는 '미술 재료 사는 것 보다 참고서 하나 더 사는 게 낫겠다'라고 하는 등 좀 별난 행동을 하고 다녔다. 그렇지만 그는 전교 석차가 한 자릿수에 들어가 선생님들에게 칭찬을 받아 가며 일찍 00 고등학교 입학 유망학생으로 이름을 올리고 즐겁게 중학교에 다녔다. 그는 방학에 집에 오면 '나는 작품을 만들 거예요' 그가 우쭐대며 우체국 직원들에게 말했다.

그런데 신설 학교 명성이 필요했는지 소위 OO 고등학교 입학 유망 생들을 '자유 교양대회'에 나가게 했다. 겨울방학이 되자 산골 암자에 몰아 놓고 장교 출신 초임 국어 선생님 지도로 집단훈련에 들어가도록 했다. 그와 동료들은 보살님이 해주는 절 밥을 먹고 OO 산 정상 왕복 극기 훈련도 받으며 책을 봤다. 대회 준비 책 '소학언해' '촛불의 과학'을 달달 외웠다. 그다음 해 자유 교양 OO도 대회 우수상을 받았다. 문제는 그가 어느 날부터 수학이 자신이 없어졌다는 것이었다 겨울방학 내내 수학책을 놓아버린 탓이다. 그는 고등학교 입학시험 날. 수학 시험 종료종이 칠 때까지 문제를 다 풀지 못하고 깊은숨을 쉬며 펜을 놓고 말았다.

후기 고등학교 생활은 3년 내내 정말 암울했다. 학교 도서관에 앉아서도 집중이 안 됐다. 등굣길에도 축 처진 어깨로 교모가 창피해서 뒷주머니에 넣고 호주머니에 손을 넣고 다녔다. 속도 모르는 담임선생님은 재수하려고 장기결석하는 친구 집에 가서 데려오라는 심부름을 시켰다. 다른 애들은 영혼이 없는 건지 아버지가 부자인지 교실 뒤에서 늘 떠들어 참 이상했다. 뭐가 그렇게 재미있지? 아예 인생을 포기한 것인가? 불만에 온종일 머리가 지끈지끈 아팠다. 3년간 얼마나 지쳤던지 졸업여행 설악산에서 찍은 사진 얼굴이 퉁퉁 붓고 골이 잔뜩 나 있다. 그렇게 무미건조하고 재미없던 그에게도 메마른 가슴을 설레게 했던 일이 하나 있긴 있었다. 등굣길에 맞은편에서 오는 여학생이 있었다. 늘 반듯하게 펴진 하얀 카라와 잘 다려 입은 교복을 입고 살짝 시선을 밑으로 하고 다녔다. 마침 교지에 글 하나씩 내라고 해서 쓴 '시' 하나를 그녀 손에 쥐여 주고 멋쩍어서 그냥 지나쳤다. '보금자리'라는 제목과 내용이 엉뚱했던지 그 뒤로 그 이쁜 여학생은 보이지 않았다.

20대 누나가 미국 간호사로 이민 갈 때 그를 유학시키는 조건으로 부모 허락을 받았었다. 기대에 부푼 그는 외국인 교수가 지도하는 유학준비반까지 들어갔다. 영어 연극까지 출연할 정도로 영어 공부를 열심히 했었다. 그는 대학 졸업하고 바로 미국 유학하려고 했지만, 전에 이민 신청을 했다는 이유로 미국대사관 문을 힘없이 돌아 나와야 했다. 그는 영사가 유학 심사를 거부하자 서투른 영어로 '나는 유학하러 갔다가 5년 뒤에 분명히 돌아올 거다'고 따졌다. 등 뒤에서 곤봉 차고 있던 키 큰 미군이 '써'라고 그를 부르며 알아서 빨리 나가라는 표정을 지고 서 있었다. 4년간 그렇게 열심히 준비한 유학의 꿈이 좌절되다니, 그는 절망했다. 그는 할 수 없이 외국인 회사에 취업하여 부사장에 영어로 업무 보고하는 유능한 사원이 되었다. 그렇게 서울 올림픽 기간 외국 선수 지원일로 바쁘고 결혼도 하여 미국을 까맣게 잊고 살았다.

그러던 어느 날 형제초청 이민 순서가 되었으니 비자 인터뷰하러 오라는 미국대사관 등기 우편물이 고향 주소로 배달되었다. 당황하는 아내를 설득해서 조금 늦었지만, 아메리칸드림을 재도전해 보기로 했다. 1년이 갓 지난 신혼살림을 염치없게 처가 문간방에 몰아넣고 긴장한 아내와 함께 비행기를 탔다. 신혼집 전셋돈만 찾아서 들뜬 마음에 급하게 떠난 미국이민 생활은 역시 녹록지 않았다. 대책 없이 무역회사에 입사한 직장에서 운전면허만 땄을 뿐 실제 운전을 해본 적이 없던 그는 제대로 사고를 치고 말았다. 출근한 지 며칠 지나자 부장이 '공항에 가서 손님을 모셔오라'라고 하며 커다란 밴 키를 던져 줬다. 그는 갑자기 앞이 안 보이고 머리가 하얘졌다. 시동을 어떻게 켜야 하는지 몰랐기 때문이다. 간신히 출발해서 고속도로로 들어서긴 했는데 뒤에서 밀려오는 차들 때문에 공항 나가는 출구로 나가지 못했다. 땀이 등줄기를 타고 주르륵 흘렀다. 한참을 헤매다 공항에 두 시간이나 늦게 도착했다. 기다리던 손님은 택시 타고 간 뒤였다. 황급하게 지그재그 운전으로 회사에 도착하니 분위기가 싸늘했다.

또 하루는 퇴근 시간에 부장이 할렘가에 옷 배달을 하라고 했다. 짐이 많은 그 날은 화물차를 빌려서 창고 매니저와 함께 출발했다. 부랴부랴 허드슨강을 건너 옷가게에 도착했는데 유대인 주인 부부가 매장 셔터를 반쯤 내리고 있었다. 자기들은 집에 가야 하니 내일 다시 오라고 했다. 잠깐이면 짐을 내릴 수 있다고 사정을 해도 막무가내로 손사래를 저었다. 할 수 없이 돌아서는데 땅거미가 져가는 거리는 이미 어두워진 상태였다. 깜깜해진 길을 헤매다 큰길로 나가는 길을 놓쳐버렸다. 마침 좁은 골목길에서 놀고 있는 아이들에게 길을 물어본 것이 큰 실수였다. 갑자기 화물차 뒤 칸이 뭔가에 눌리는 느낌이 들었다. 렌터카 뒷문 손잡이를 어떻게 제쳤는지 이미 가득했던 옷 박스들이 거의 없어진 뒤였다. 깜짝 놀라 옷 상자를 들고 달아나는 아이들을 잡으러 갔지만 날쌔게 이리저리 도망가는 아이들을 놓치고 말았다.

그의 연봉에 반이 넘을 듯한 옷을 날치기당하고 빈 차로 덜컹덜컹거리며 돌아가는 길 내내 스페인계 매니저와 그는 서로 아무 말이 없었다. '이번에는 확실히 잘렸다. 집에 가면 갓 난 딸과 아내 얼굴을 어떻게 보나? 그리고 누나는…' 잔뜩 긴장해서 눈만 껌벅거리고 눈치만 보고 있는데 부장이 다가오며 '살아 돌아온 것이 다행이니 내가 사장님에게 잘 말해 보겠다 퇴근하라'라고 했다. 검사 출신 뉴욕시장 이후 도로와 건물이 많이 정화됐지만, 그 당시 할렘가에서는 어린아이들도 마약을 사기 위해 행인을 위협하고 현금을 날치기하고 총질을 했었다. 그는 그 사건 이후에도 큰 밴에 신상품 샘플을 일자 옷걸이에 걸고 메인 도심 거리 여기저기 점포로 끌고 다녔다. 그렇게 비가 오나 눈이 와도 뉴욕· 뉴저지 일대 옷가게를 꾸준히 찾아다니며 옷 주문을 받았다. 일할 사람이 그렇게 없었나? 가끔 사고를 치긴 해도 시키는 일은 묵묵히 하는 그가 필요했나? 그 뒤로도 크고 작은 실수를 저질렀지만, 그는 경쟁이 치열한 뉴욕시장에 뿌리를 내렸다.

미국에 도착한 지 몇 개월 뒤에 첫째 딸을 낳았다. 1년 후 아내가 둘째까지 임신을 하게 되어 그가 혼자 생활비를 벌어야 했다. 그렇게 학업보다 생업에 전전하던 그는 새벽에 아버지 부음을 받았다. 5년 안에 돌아온다고 미국 간 외아들을 기다리던 아버지가 60대 중반 나이에 돌연사한 것이다. 직원들이 월말 고지서 수납으로 바빠서 우체국 후문에 쓰러져 있는 아버지를 발견하지 못해 심근경색으로 숨을 거뒀다. 뉴욕에서 정신없이 꼬박 하루 걸려 고향에 도착하니 친지들과 마을 사람들이 장례 준비를 하고 있었다. 놀라운 것은 고향을 등지고 떠난 그를 위해 동네 친구들이 상여를 메겠다고 모여 있었다. 고마운 마음에 고향 친구들과 함께하는 상여계에 30년이 지난 지금까지 계속 나가고 있다. 그렇게 4일 상을 치르고 옥상에 올라가 며칠 밤 말이 없는 별과 달을 바라보았다. 순진하게 그를 믿고 따라와 준 아내와 졸지에 혼자된 엄마, 미국으로 돌아가야 하는 누나 …. 그의 얼굴만 바라보고 지쳐 있는 가족들에게 말했다. '돌아가서 직장 정리하고 오겠습니다' 그는 미국에서 4년 이상 거주하면서 적응하여 월스트리트 인근에 있는 안정된 직장을 다니고 있었다. 더구나 대학원 석사 후 과정에 다니던 상황에서 학업을 포기하는 것이 어려웠다. 그가 다니던 교회 성도들이 '지금 한국 가면 전쟁이 난다는데 잘 생각해 보라'고 까자 했었다. 그러나 친척들에게 약속한 것을 번복할 수 없어 할 수 없어 어린 자식 둘을 안고 고향으로 왔다. 갑자기 뉴욕시민에서 시골 우체국장이 된 그는 아내와 불확실한 미래를 걱정에 하며 잠을 설쳤다. 유난히 더웠던 그해 아내는 갑자기 혼자된 시어머니와 어린 두 자식과 맞벌이 하는 그의 여동생 딸까지 돌봐야 해서 더욱 힘 들어 했다.

그는 1년 뒤 아이들이 어린이집에 다니게 되어 겨우 한숨을 돌린 30대 중반 아내에게 우체국장 자리와 엄마를 맡기고 서울로 직장을 잡아 떠났다. 그는 몇 년이 지나 신설 회사였던 직장 일이 기반을 잡게 되자 못 마친 공부에 미련을 버리지 못하고 다시 대학원을 알아보았다. 그가 원하던 학교 박사과정 입학허가를 받았으나 갑자기 믿었던 사장이 지방발령을 내버렸다.

그러나 포기하지 않고 지방과 서울을 오가며 박사학위를 받아 지방대학에 교수 자리를 얻었다. 어렵게 시작한 교수직을 계속하기 위해서는 강의 외에 연구비 수주와 학생 취업도 시켜야 했다. 학생 중에는 수도권 학생이 많아서인지 졸업 후 자격조건을 더 쌓겠다며 느긋했다. 이런 학생들의 취업을 독려하기 위해서는 기업에 현장실습을 보내야 했다, 지방기업은 학생의 실습 관심 대상이 아니다 보니 수도권 기업체 발굴이 어려웠다. 그는 달갑지 않게 생각하는 수도권 기업들에 사정하며 부탁했다. 첫해에 인증 심사했던 서울 소재 기업에 간신히 두 명을 보냈다. 고맙게 학생들이 실습을 성실히 하고 마침 회사의 홍콩 전시회까지 참석하였다. 이 학생들의 성공담을 취업 준비 사례로 활용할 수 있을 것 같았다. 대학 전체 실습생 대표로 추천하여 발표하고 상장과 상금도 받게 했다. 그는 방학 중에도 꾸준히 실습기업을 개발하여 10년간 천여 명의 실습생을 보낼 수 있었다. 실습이 도움이 되어 취업 되었다는 소식이 오면 보람을 느꼈다. 그리고 적은 금액이지만 산업통상사업부(KOTRA), 중소벤처기업부(창업보육센터), 외교부(KOICA) 사업들을 수주했다. 이 사업들도 학생 취업과 진로 설정에 도움을 주었다

오랜만에 퇴직한 교수들과 서울에서 모임 하고 식당 문을 나서는데 부르르 진동하는 핸드폰! '지금 가고 있어요.'라고 말했지만 기차 안에서도 도착할 때까지 이어폰을 끼고 있었다. 멀리 시집간 딸의 문자가 떴다. 딸이 할머니 부재중 전화를 여러 번 받아 전화했는데 누군지도 모른다고 하더란다. 엄마가 아내에게도, 딸들에게도 계속 전화를 했을 것 같아 심란했다. 정신없이 집에 들어서니 손뼉까지 치며 반가워했다.' 어디 갔다 왔냐 밥은 먹었냐. 문단속 잘해라, 밤새 비 오면 물들어 오니 방마다 창문을 다 닫아라. 나는 이제 자러 들어간다. 잔소리는 침대에 누워서도 계속된다. '아 참! 창고 문 열렸더라 내려가 봐라'. '그만하시고 주무세요'

그는 자신이 대학병원에서 자기 엄마에게 짜증을 낸 그 딸과 자신이 별반 다르지 않다는 것을 깨달았다. 부모 기대에 못 미치고 동네 사람들에게도 부족한 자식으로 보일 것 같았다. 초등학교 때

잘난 척하고 떠났다가 크게 성공하지 못하고 고향에 온 자신이 싫고 부끄러웠다. 더구나 엄마가 정신이 더 없으면 그를 아버지로 착각하고 '오늘 아들 어디 갔냐'고 할 때 제일 당황스러웠다. 엄마가 아들이 곁에 있기를 바라는 마음이 무의식적으로 표출되는 것이다. 지친 그는 요양보호사 오기 전 '도서관 갔다가 6시에 와요'라고 칠판에 쓰고 집을 빠져나왔다.

행복한 사람

도서관에 도착한 그는 별로 말이 없던 아버지가 한 말이 떠올랐다. ' 나 죽어도 이 집은 팔지 마라' 그가 미국에 가기 전, 아니 그보다 더 전인 것 같기도 같고 언제쯤 인가 정확히 기억이 나지는 않았다. 그의 집 뒤에 있는 초등학교는 조선 시대에 관아 자리였다. 그의 집 뒤뜰과 초등학교의 경계 언덕에 수령 500년 느티나무 한 그루가 우뚝 서 있다. 그 아래에는 20평 남짓 되는 텃밭이 있다. 채소 하나 사려 해도 읍내까지 나가야 했다. 엄마가 '집안에 푸성귀 하나 뜯어먹을 땅이 없다.' 하여 아버지가 정원 반을 떼어 밭을 만들어 주었다.

그의 집은 적산가옥을 일부 개조한 기와집이었다. 뜰 안에 작은 연못이 있어 붕어들이 놀았고 멋진 백목련과 자목련도 있었다. 건

넛방은 할아버지가 쓰던 고급 책상이 차지하고 있었다. 그리고 짙은 녹색 페인트가 오래되어 여기저기 벗겨지기 시작한 철제 스프링 침대가 있었다. 그 방은 가끔 오는 친척들 손님방으로 썼으나 집에 아무도 없으면 아지트처럼 들랑거렸다. 찌걱거리는 소리와 출렁거리는 침대가 신기하고 재미있어 혼자 깡충대며 신나게 놀았다. 그리고 가족 목욕탕도 있었다. 그 안은 오래되어 녹이 슨 깊고 널찍한 철제 욕조가 있었다. 평소에는 과일이나 채소 넣은 창고로 쓰다 명절이나 행사할 때만 불 피우고 온 식구가 목욕했다.

그의 집 뒤에서 묵묵히 내려다보는 느티나무는 지난 세월 일어난 집안 대소사를 다 알고 있겠지. 엄마가 그의 초등학교 입학 기념으로 언덕 위에 심었던 노란 꽃나무, 돼지와 닭을 키우며 아궁이 불을 때던 엄마, 아버지 먼저 보내고 남은 옷 태며 말없이 울먹이던 엄마. 그 나무는 이 모든 것을 다 지켜보았겠지. 할머니가 엄마 환갑 때 주신 돈으로 샀다는 안방 경대, 뒤틀어져 문이 뻑뻑해진 건넛방 장롱, 자식들 옷을 손수 만들어 입혔던 낡은 재봉틀, 쓰지 않는 지 오래되어 퇴색된 부엌살림들, 반 이상 죽여 볼썽사나운 난실 화분들, 우체국 신축하다 남은 벽돌로 만든 연못, 느티나무 뿌리와 그늘 탓에 제대로 된 채소 한번 얻어먹지 못한 텃밭까지 엄마 손길이 닿아 있다. 물자가 귀했던 시절에 산 엄마는 나중에 다 쓸모가 있다고 버리지 못하고 모았다. 집안 여기저기 들추면 나오는 잡동사니들은 오래되어 푸석거리며 부서졌다. 엄마는 가족을 위해 평생 못 먹었던 달걀과 과일 그리고 고기를 지난 몇 개월 동안 다 먹은 것 같다. 다만 가끔 아침과 저녁을 구분하지 못하고 식탐 치매로 수시로 먹는 것이 문제다. 그는 잘 드시는 엄마와 요리까지 해주는 친절한 요양보호사 덕분에 뱃살이 살짝 나왔다.

겨울 되면 난실 창문 보온 비닐 씌우는 일이 고작이었는데 텃밭도 조금씩 눈에 들어오고 있다. 지난봄에 종묘상 주인이 골라준 각종 씨앗을 뿌려만 놓고 관리를 안 해서 거의 풀밭이 되었다. 키 큰 옥수수는 지난여름 비바람에 사방팔방으로 쓰러져 서로 묶어 봤지만 다 허사였다. 그나마 상추는 조금 따 먹었고 삐뚤어지고 누렇게 탈색된 못난 오이 몇 개만 건진 정도였다. 이러니 아내는 '뿌리면 다 내일이니 앞으로는 절대 뭐 하려고 하지 말아요' 하고 극구 반대했다. 그는 시골에 아무도 없는 추석 연휴를 기다렸다. 여름 내내 방치한 밭에서 사람 키만 한 풀을 산더미만큼 뽑아내고 배추와 무씨를 뿌렸다. 무더위를 피해 저녁에 시작한 일이 늦어져 몇 시간이 지나자 바로 어두워졌다. 어딘지 분간하지 못하고 배추 묘를 심고 무씨를 뿌렸다. 그는 다음 날 아침 일찍 일어나 밭에 나가 보니 여기저기 배추 묘가 뿌리째 팽개쳐 있었다. 심지어 배추 묘 심은 자리에 무씨를 또 뿌린 곳도 있었다. 또 아내에게 잔소리 들을 것이 뻔했다. 연휴 기간 내내 숨기려는데 했는데 무리한 그의 팔다리에 계속 쥐가 나서 들켜 버렸다. 그런데 신기하게도 어설프게 심은 배추 묘가 한둘씩 뿌리를 내리고 제법 배추 모양을 하고 자랐다. 비싼 배춧값에 김장 걱정하던 요양보호사가 제법 키웠다고 칭찬을 해줬다. 여름 채소 실패로 실망만 안겨준 아내에게 몰래 심은 배추가 체면을 살려 줬다. 그는 내친김에 욕심을 내서 30년간 방치한 수렁논도 농업기술 전문가 도움을 받아 소생시키려 한다. 그리고 그가 기업과 대학에서 주로 했던 '상품기획'일이 지역사회에 어떻게 도움을 줄 수 있는지 찾고 있다.

이제는 말과 글보다는 행동이 필요할 때가 왔다. 엄마에 대한 끊임없는 사랑과 가엾게 여기는 마음이 있어야 가능할 것이다. 그는 부모님의 기대와 사랑의 빚을 갚기에는 턱없이 '부족한 죄인'이지만 역할을 다하여 후회 없기를 바랄 뿐이다. 그가 가족과 함께, 또 사회에서 만난 사람들과 함께 공동으로 만들어가는 것이라는 것도 깨달았다. 그리고 그가 의미 있는 성과라고 여기는 것이 몇 가지가 있다. 하나는 그가 자신 없이 살아온 것을 후회하는 마음에 학생들에게 자신감을 주기 위해 쓴 책이다. 신우회원들과 공동개발한 '삶의 지혜 나눔'이라는 리더십 교재이다. 다양한 전공자 10명이 각자의 삶의 과정에서 얻은 지혜를 학생들과 나누고 싶었다. 그 책은 저자를 신우회로 해서 적은 인세지만 학생 선교에 쓸 수 있게 했다. 또 하나는 그가 미국이민 생활에서 겪었던 경험을 바탕으로 썼다. 해외 이주민들과 내국인이 서로 돕고 사는 방법에 관해 쓴 책이다. 그 책은 '글로컬 마케팅 생활'로 우리나라 청년들이 한국에 온 유학생과 다문화가족에게 재능 기부하면 잠재능력을 발견하여 '글로컬 리더'가 될 수 있다고 썼다.

그는 엄마와의 추억을 회상하며, 이제는 고통 대신 따뜻함과 감사하는 마음이 생겨났다. 엄마의 희생과 사랑은 그의 삶을 더욱 깊고 의미 있게 만들어 주었고, 그는 이제 그 가르침을 다른 이들과 나누며 살아가려고 한다. 그는 자신의 한계를 인정하는 법을 배우고, 엄마를 이해함으로써 자신의 삶을 더 넓게 바라보게 되었다. 시간이 흐르며 그는 "부족한 죄인"이라는 엄마의 표현이 자책의 말이 아니라, 모두가 가진 불완전함을 인정하며 서로 합력해야 함을 깨달았다. 세상에 완벽한 사람은 없으며, 서로 부족함을 이해하고 아끼는 것이 진정한 인생이라는 것을 알게 됐다. 그는 자신의 삶에서 엄마의 사랑을 통해 얻은 것들을 기억하고, 그 지혜를 나눠가기로 했다. 그는 이제 생각에 머물지 않으며 자신의 삶을 변화시켜 나가기로 했다. 그는 자신이 나고 자란 지역 사회에서 아직 더 할 일이 있기를 바란다. 그래서 그가 구상한 작품을 어느 정도는 완성하고 싶다. 그리고 엄마가 항상 입에 올리는 '부족한 죄인'이라는 말을 엄마도 그도 이제는 하지 않고 우리는 '행복한 사람'이라고 말하며 웃으면서 살아가려 한다.

| 04 |

설기로

박지연

소설

박지연

2022년 <라포르: 블루라인> 이후 <설기로>는 두 번째 단편소설이다. 단순히 상상의 즐거움만으로 소설을 시작했지만 <설기로>를 쓰면서 진실한 이야기에서 나오는 강력한 힘을 알게 되었다. 다음 예정작인 6개월간의 동남아 여행기도 진솔한 마음을 담아 집필할 계획이다.

설기로

내가 정욱을 제대로 알게 된 것은 그와 같이 설기로를 걸으면서부터였다. 그전까진 정욱은 나에게 그저 같은 세무회계 사무소를 다니는 이십 대 후반의 또래 직원일 뿐이었다. 어느 날 회식 자리가 파하던 중에 그는 자처해서 직원들을 집에 태워다 주겠다고 했고, 그러다 그가 나와 같은 오피스텔에 사는 이웃 주민임을 알게 되었다. 덕분에 나는 회식이 있을 때면 곧잘 그의 차를 타고 집으로 돌아오곤 했는데, 작년 가을 끝 무렵이었던 그날도 그랬다.

밤 10시가 넘어가던 시각. 마찬가지로 회식이 끝나고 정욱과 집으로 돌아오던 길이었다. 옅은 안개가 낀 한적한 도로를 달리던 중에 정욱은 조수석에 탄 나를 흘끔 보더니 입을 열었다.

“서린 씨 아까 춤 잘 추던데요?”

어둠에 가려진 내 얼굴이 순간 달아올랐다. 2차로 노래방을 갔을 때 내가 구석에서 춤추던 모습을 본 모양이었다. 숨길 의도는 없었으나 평소 회사에서 조용하게 지내던 나로선 괜한 비밀을 들킨 것 같은 기분이 들었다.

"그렇죠?"

나는 어색하게 웃으며 말했다. 그때 정욱의 차는 오피스텔까지 한 블록하고도 우회전을 남겨놓고 있었다. 그러나 차가 집에 가까워져 갈수록 내 마음 한구석이 불편해졌다. 얼마 전 공복혈당 장애 의심을 받고도 과식을 한 탓이었다. 아까 먹은 삼겹살이 여전히 배에 더부룩이 남아 죄책감을 더했다. 나는 하는 수 없이 정욱에게 말을 꺼냈다.

"오늘은 저기 설기로 가는 길에서 내려주세요."

밤늦게 여자 혼자 보내기가 마음에 걸렸던 것일까, 아니면 노래방에서의 내 모습에 호기심이 생겼던 것일까. 정욱은 나의 산책을 따라가겠다고 했다. 가을의 밤공기는 서늘했고 설기로 초입은 오가는 이 하나 없이 으스스했다. 이런 길을 혼자 걸을 생각을 하다니, 내가 다소 무모했음을 깨달았다. 그러고 보니 한편으론 묵묵히 옆에서 걷고 있는 정욱에게 고마운 마음이 들었다.

"서린 씨는 무슨 음식 좋아해요?"

추수를 마친 황량한 논밭에 산등성이가 어스름히 보이던 길에서 정욱이 내게 물었다. 특별히 음식에 대해 가리는 것이 없던 나는 별생각 없이 김치볶음밥이라고 대답했다. 그리고 대화의 예의가 으레 그렇듯 나도 그의 음식 취향을 되물었다.

"음, 저는 민트초코 좋아해요."

민트초코도 음식인가? 순간 나는 생각했다. 예전에 한 번 맛본 민트초코의 치약 맛이 내 입안에 다시 살아나는 것 같아서 미간이 절로 찡그려졌다. 사람을 음식으로 비유한다면 민트초코는 정욱에게 그리 어울리지 않았다. 차라리 그가 회사 냉장고에 쟁여놓은 퍽퍽한 닭가슴살이 더 잘 어울렸다. 그는 회사에서 잘 웃지도 않았고 자신이 옳다고 여기면 상사에게도 기어코 바른말을 하고야 마는 고지식한 사람이었다. 그런 그가 민트초코우유를 홀짝홀짝 마시고 있을 상상을 하니 나도 모르게 웃음이 새어 나오면서도 어딘가 친근한 구석이 느껴졌다.

"정욱 씨는 무슨 운동 하세요?"

중학교 앞에 있는 반환점을 돌 때 내가 물었다. 헐렁한 티셔츠로도 가려지지 않은 정욱의 단단한 몸체에서 운동을 꽤 했다는 생각이 들어서였다.

"이것저것 많이 해보긴 했는데, 요즘은 퇴근하고 주로 수영하러 다녀요. 서린 씨는요? 서린 씨는 무슨 운동 해요?"

정욱은 당연히 내가 운동 하나쯤은 하고 있다고 생각하는 눈치였다. 그러나 지난 내 과거를 돌이켜 보았을 때 딱히 어떤 운동을 해본 기억은 없었다. 퇴근하고 이불속에 틀어박혀 있는 것을 하나의 낙으로 삼는 나였다. 하지만 막상 기대에 찬 듯한 정욱의 시선에 쉽사리 입이 떨어지지 않았다. 그러다 불현듯 일직선으로 뻗은

길이 내 눈앞에 들어왔다.

"저는 여기로 자주 조깅하러 나와요."

나는 그렇게 말하고 왠지 양심의 가책을 느꼈다. 사실 말이 조깅이지 설기로 위의 발걸음은 기분에 따라 달랐다. 사색에 잠기고 싶으면 산책을, 잘 안 풀리는 일이 있으면 경보를, 화가 나거나 마음이 터질 것 같을 때야 비로소 달렸다. 그러니 엄밀히 따지자면 이건 운동이라기보다 쌓인 기분을 해소하는 나만의 행위에 가까웠다.

어찌 되었든 나는 설기로에 나오는 것을 좋아했다. 청명한 하늘, 바람에 흔들리는 반짝이는 풀잎, 노랗게 익어가는 들판, 주황색이었다가 보라색으로 사그라지는 저녁놀. 이러한 것들에 시선을 빼앗겨 걷다 보면 힘든 일도 꽤 괜찮게 여길 수 있게 되었다.

주민 모두가 알고 있지만 알고 있지 않은, 설기로는 나의 은밀한 마음을 흘려보내는 곳이었기에 누군가와 함께 걸을 생각은 한 번도 해본 적이 없었다. 더구나 누군가와 깔깔거리고 웃느라 고요한 밤길을 시끄럽게 만들 생각도 없었다. 무엇이 그리 재밌었던지, 우리는 걷는 동안 얼굴에 피가 쏠리도록 웃기도 하고 진지해지기도 했다가 곧 다시 표정이 밝아졌다.

"내일 아침에 같이 출근할래요?"

초입에 다시 이르렀을 때쯤 정욱이 생기 있는 표정으로 내게 물었다. 가로등이 은은하게 우리를 비추고 있었다.

"왜 둘이 같이 들어와?"

사무실 문을 차례로 통과하는 정욱과 나를 발견한 이과장이 짓궂게 굴었다. 정욱은 같은 오피스텔에 산다고 무심하게 대답했다.

"벌써 둘이 살림이라도 차린 건가?"

장 팀장이 책상 가림막 위로 얼굴을 빼고 장난을 거들었다. 그런 상사들을 태연하게 무시하는 정욱과 달리 나는 상기된 얼굴을 책상에 숨기느라 급급했다. 어젯밤 분위기에 휩쓸려 정욱과 괜한 약속을 한 것 같았다. 내일부터는 정욱과 다시 거리를 둬야지. 마음을 가다듬은 나는 구부렸던 등을 바로 세우고 업무를 시작했다.

그러나 내 결심은 곧 한낱 모래성이 되어 힘없이 무너졌다. 정욱은 마치 당연한 일인 듯 다음날도 같이 출근하자 했고, 어느 날부턴가 수영을 가지 않는 날이면 같이 설기로를 걷자고 했다. 나는 그냥 거절하면 될 일을 그러지 못하고 질질 끌려다녔다. 추측하건대 그날 한 번의 첫 산책이 내 기억에 아련한 추억처럼 남아 매번 마음을 무르게 만든 탓인 것 같았다.

나는 어느샌가 정욱과의 시간을 기대하고 또 즐거워하고 있었다. 가끔 그런 내 모습에 짜증이 치밀기도 했다. 간혹 회사 직원들은 나와 정욱의 사이에 관해 물었고 가볍게 둘러대기를 여러 번, 날이 더해 갈수록 이 알 수 없는 관계에 대한 내 의구심도 함께 커졌다.

"아무래도 직원들이 우리를 사귀는 줄 아는데…."

정욱과 출근하던 차 안에서 나는 조심스럽게 말을 꺼냈다. 어쩌면 이 모호하고도 혼란스러운 관계를 정욱이 바로 잡아 줄 수 있을 것이란 기대감을 품었다.

"그런 말 신경 쓰지 말아요. 뭐 같이 다니면 다 사귀는 건가? 그럼 지은 씨랑은 같은 수영장 다니는데 그것도 사귀는 겁니까?"

갑자기 회사 막내 지은이 거론된 것에 나는 잠깐 의아했다. 그러나 결론적으로 정욱이 우리는 아무 사이도 아니라고 말해준 것 같았다. 나는 그 해석에 안주하고 싶었다. 하지만 곧바로 또 다른 의문이 들었다.

'그럼 그는 왜 나와 같이 시간을 보낼까? 나는 왜 그를 거절하지 못할까?'

차 안에 침묵이 길게 이어졌다. 어쩌면 우린 이미 답을 알고 있었다. 그저 무르익지 못한 마음을 섣불리 들키는 게 두려워 둘 다 입을 다물고 앞만 바라볼 뿐이었지만.

"지은 씨 잠깐 와 볼래요?"

근무 중에 정욱이 퉁명한 목소리로 내 옆자리 지은을 불러냈다.

"급여 대장 4대 보험 조회 및 반영한 거 맞아요?"

낮게 깔린 정욱의 말에 지은은 고개를 떨궜다.

한바탕 정욱에게 여러 지적을 받고 돌아온 지은이 의자에 털썩 앉았다. 그 모습이 마치 몇 년 전 내 모습을 보는 것 같았다. 나는 안쓰러운 마음에 갖고 있던 쿠키를 지은에게 슬쩍 건넸다. 그러자 지은이 내게 티 없이 웃어 보였다.

"언니 진짜 정욱 씨랑 사귀는 거 아니죠?"

정욱이 잠시 밖에 나간 사이 지은이 의자를 내 쪽으로 당겨 속닥거렸다.

"지은 씨까지 정말 그러기야?"

나는 서류뭉치를 책상에 톡톡 내리치며 장난스러운 말투로 대답했다. 이제 나는 정욱에 대한 물음에 덤덤하게 반응할 수 있을 만큼 더는 혼란스럽지 않았다.

"호감은요? 정말 일말의 호감도 없으세요?"

생각보다 지은의 질문은 집요했다. 나는 바보 같게도 호감이라는 말에 잠시 멈칫했다. 알면서도 모르는 척 숨겨두고 싶던 마음을 강제로 열어 본 것 같았다. 나는 서둘러 아니라고 답했다.

"전 사귄다고 해도 개인적으로 반대에요. 정욱 씨 성격이 워낙 차갑잖아요. 언니가 상처받을까 봐요."

나는 말 없이 미소 지었다. 그 순간만큼은 차라리 지은의 말대로 정욱이 좋지 못한 사람이라고 여기고 싶었다.

첫눈이 내린 다음 날이었다. 정욱은 수영을 가지 않는 날임에도 고등학교 동창 모임이 있다며 일찌감치 퇴근했다. 반면 나는 느지막이 홀로 사무실을 나섰다. 알 수 없는 못마땅한 감정에 사로잡힌 나는 눈 쌓인 길을 괜히 힘주어 걸었고 뽀드득 소리가 났다. 그 와중에도 나는 정욱을 생각하고 있었다. 아무리 다른 생각을 하려고 해도 결국 그에 대한 것으로 이어졌다.

문득 나는 민트초코의 맛이 다시 궁금해졌다.

"이제 보니 맛 괜찮은 것 같은데?"

편의점 앞에서 나는 민트초코를 한 모금 더 들이켰다. 이전에는 알지 못했던 민트의 상쾌함이 혀끝에 감돌았다. 그리고 알 수 없는 기쁨이 차올랐다. 나도 이제 민트초코의 맛을 좋아할 수 있을 것 같다고 정욱에게 말해주고 싶었다.

그 기회는 생각보다 빨리 찾아왔다. 내가 집에서 저녁을 먹고 쉬던 중에 정욱에게 문자가 온 것이었다. 이를 확인한 나는 심장이 요동쳤다.

-뭐해요? 저 지금 집 앞 주차장인데 걸으러 나올래요?

나는 또 쉽게 마음이 들떴다. 5분만 기다려 달라는 답장을 보낸 휴대전화를 침대에 던지고는 옷을 급히 걸쳤다. 서둘러 1층으로 내려가니 나를 발견한 정욱이 차에서 내렸다. 롱코트를 갖춰 입은 그의 모습이 어딘가 새로웠다.

"밖에 춥다고 아까 문자 보냈는데."

정욱이 패딩 조끼만 걸친 내 얇은 옷차림을 보고 말했다. 그는 내게 집에서 옷을 더 걸치고 올 것을 제안했지만 나는 끝까지 괜찮다고 발걸음을 앞서 옮겼다. 이는 정욱을 한시도 더 기다리게 만들고 싶지 않은 나의 어리석은 생각에서였다. 날은 예상보다 훨씬 추웠다. 얼마 가지 않아 이가 서로 딱딱 부딪쳤고 몸이 움츠러들었다. 나는 양손을 비벼가며 차갑게 굳은 볼을 만졌다.

"그렇게 추워요?"

옆에서 나를 지켜보던 정욱이 어이가 없다는 듯 피식 웃었다. 그리곤 자신의 코트를 벗어 내게 걸쳐주었다. 갑자기 좁혀진 거리에 나는 잠시 숨을 참았다. 코트 안에 남겨진 온기가 내게 덮어졌다. 그러나 스웨터만 입은 정욱의 휑한 모습에 나는 곧바로 코드를 벗어 돌려주려 했다. 가벼운 실랑이가 벌어졌고 그러다 서로의 손이 스쳤다.

"손도 되게 차갑네."

정욱은 얼어붙은 내 손을 잠깐 쥐었다 놓았다. 그가 남긴 온기에 둔하던 내 손이 한결 부드러워졌다. 나는 어색한 기분이 들어 괜히 다시 코트를 걸쳤다.

"그나저나 모임이 일찍 끝났네요?"

"아직도 몇 명 모여있긴 하는데 좀 일찍 나왔어요."

"왜요?"

이유를 묻고 보니 나 자신이 유치해졌다. 무의식중에 나 때문이라는 확인을 받고 싶었던 것일까. 괜히 정욱을 떠본 것 같아 부끄러움과 후회가 밀려왔다. 나는 어쩔 수 없게도 그의 눈치를 살폈다. 그는 진지하게 고심하다가 입을 열었다.

"전 여자친구가 거기 와 있어서요."

도로에 트럭 한 대가 파도 소리를 내며 스쳐 지나갔다. 나는 여자친구라는 뜻밖의 대답에 뜨끔한 통증 같을 것을 느꼈다. 겉으로 내색은 하지 않았으나 어떻게 반응해야 할지 몰라 속으로 안절부절못하는 사이 정욱이 말을 이어갔다.

“제가 여자친구를 고등학교부터 군대까지 사귀었거든요? 원래 술 마시는 걸 좀 좋아하는 친구긴 했지만 제가 군대 들어가서는 더 먹으러 다니더라고요. 나는 일주일씩 죽어라 훈련하고 들어와서 전화하면 그 친구는 취해서 서운하다 외롭다는 말만 해대고. 거기에 나는 맨날 사과하고. 취해서 집은 잘 들어갔나 걱정돼서 잠도 못 자고. 그런 게 반복되다 보니 지쳐서 제가 먼저 헤어지자고 했어요. 근데 웃긴 건 뭔 줄 알아요?”

“뭔데요?”

나는 눈을 크게 떴다.

“나랑 헤어지기 전부터 이미 다른 사람을 만나고 있었더라고요. 그걸 전역하고 알았어요. 그래 놓고 나중에 다시 만나자고 우리 집 앞까지 찾아와서 울고 빌고.”

“그래서 받아줬어요?”

“안 받아줬죠. 그랬더니 금세 가서 다른 사람 만나더라고요. 그 친구는 그냥 당장에 외로움을 채워줄 남자친구가 필요했던 것 같아요.”

정욱이 씁쓸하게 웃었다. 이야기에 빠져있다가 보니 어느새 우리는 반환점에 이르러 있었다. 나는 왠지 이대로 돌아가고 싶지 않다는 생각이 들었다.

“우리 오늘은 좀 더 멀리 가볼래요?”

정욱이 호기심 어린 눈으로 나를 바라봤다. 나는 건널목을 두고 다시 이어진 도보를 가리켰다. 그 길은 나도 자주 가보지 않았을뿐

더러 정욱과는 한 번도 걸은 적 없는 새로운 길이었다.

우리는 사이가 넓은 도로를 서둘러 건넜다.

“서린 씨는 남자친구 있어요? 아니면 있었나?”

개가 컹컹 짖어대는 외딴집 앞을 지나고 있을 때 정욱이 갑작스레 물었다.

“없었어요. 중학교 때 말고는.”

나는 정욱에 비해서 해줄 말이 많이 없어 민망한 기분이 들었다. 남자친구란 늘 내게 머릿속으로 그려보지만 흐릿한, 아득히 먼 미지의 세계와도 같았다. 특히 한창 남들 연애하기 바쁜 대학교 시절에 부모님 농사가 잘 안되면서부터 더 그랬다. 장학금을 받아야 하니 공부에 목을 맸고 남는 시간엔 아르바이트를 하고, 그래도 남는 시간엔 본가에 내려가 농사일을 거들었다.

그렇다고 아무도 만날 기회가 없었던 건 아니었다. 단지 나는 늘 비겁하게 상대를 외면했고 마음이 더 깊어지기도 전에 냉정히 잘라냈다. 그건 모두 내 안에 잠재된 막연한 두려움 때문이었다. 이성을 사귀는 일이야말로 낯선 길에 접어드는 것 같아서 내 삶을 송두리째 흔들어 놓을 것만 같았다. 그래서 익숙한 길만 추구하는 나 스스로가 위성 같다는 생각을 하곤 했다. 주어진 궤도만 혼자 빙글빙글 돌다가 소멸해 버리고 마는 존재.

“에이.”

정욱은 내 짧은 연애 서사를 믿지 못하는 눈치였다.

“진짜라니까요?”

나는 웃으며 반박했다. 그때 우리는 지하차도로 이어진 내리막 길에 이르러 있었다. 갑자기 우르릉하는 소리와 함께 땅에 진동이 일었다.

"기차다!"

나는 경쾌하게 외쳤다. 기차는 노란 불빛을 내며 지하차도 위를 질주해 나아갔다. 우리는 기차가 멀어지는 모습을 가만히 바라보았다. 저들은 어디로 향하는 것일까. 지금이라면 어떠한 미지의 길도 가볼 수 있을 텐데. 나는 문득 그러한 용기가 생겼다.

한동안 나는 설기로에도 끝이 있음을 망각하고 지냈다. 정욱과의 이야기가 길어질수록 설기로는 무한한 길이 되었다.

"한 바퀴 더 돌까요?"

한참 웃고 떠들다 끝에 도달하면 정욱은 그렇게 묻곤 했다. 우리는 다시 처음으로 돌아갔고 밤이 깊어지도록 걸음은 계속되었다. 그래서 엄마의 전화 한 통을 받기 전까지 나는 끝이 있는 줄 알지 못했다.

"서린아 이제 엄마 어떡하니."

휴대전화 너머로 떨리는 엄마의 목소리를 들었을 때야 비로소 나는 정신이 들었다. 중력이 위성을 궤도에서 벗어나지 못하게 만들 듯, 엄마의 한마디가 나를 본래의 경로로 끌어당겼다.

"저 조만간 휴직해야 할 것 같아요."

얼어붙은 길 위에서 어느 날 나는 정욱에게 어렵게 말을 꺼냈다. 갑작스러운 선언에 정욱은 적잖이 놀란 눈치였다.

"외할머니가 암 투병 중이신데 지금 거기에 저희 엄마밖에 병간호할 사람이 없대요."

"근데 왜 서린 씨가…."

정욱은 여전히 이해할 수 없다는 표정이었다.

"엄마를 도와줄 사람이 저밖에 없어요."

나는 괜히 신발로 마른 풀들을 만지작거렸다. 정욱은 아마 끝까지 이해하지 못할 일이었다. 나 하나 낳고 반평생 농사만 지어온 부모님. 그중에 엄마는 어린 시절 기억에 갇혀 여전히 외할머니를 두려워하는 연약한 사람이었다.

"네가 잘 돼야 그 사람들한테 복수하는 거야."

외할머니는 엄마에게 그런 말을 평생 달고 살았다고 했다. 친척 간 재산 싸움으로 쌓인 외할머니의 분노는 늘 맏이인 엄마에게로 향했다. 엄마는 외할머니에게 완벽한 딸이어야 했고, 그 기준에서 조금만 벗어나도 매질을 당했다. 그래서일까. 엄마는 육십이 넘은 지금까지도 삐쩍 마른 데다 두려움이 가득한 소녀 같은 눈을 하고 있었다. 그런 엄마가 외할머니를 병간호하다 몇 번 졸도할 뻔했다는 말에 나는 돌아가지 않을 수 없었다.

"마지막 산책을 해볼까요?"

근무 마지막 날, 회사 송별회를 마치고 돌아오는 길에 정욱이 말했다. 나는 웃으며 그를 따랐지만, 마지막이라는 말이 가슴을 후볐다.

"그러고 보니까 정욱 씨 그새 머리 많이 길었네요? 이참에 길러 보려고요?"

"네, 예전부터 한번 해보고 싶었어요."

정욱은 굴곡지게 내려온 머리가 거슬리는지 뒤로 쓸어 넘겼다.

"여자들은 대부분 남자가 머리 긴 거 안 좋아한다던데?"

정욱이 물었다. 나는 어깨를 으쓱했다.

"그거야 사람마다 다르죠."

"서린 씨는요? 장발 어때요?"

"저는···상관없어요."

순간 나는 정욱이 장발의 다른 남자들을 묻는 건지 자신을 묻는 건지 헷갈렸다.

"그러면 남자들은요? 남자들은 긴 머리 여자 좋아한다던데?"

이번엔 내가 정욱에게 질문했다.

"그것도 사람마다 다르겠지만 개인적으로 저는 긴 머리가 좋아요."

나는 말 없이 고개를 끄덕였다.

"저 갔다 오면 정욱 씨도 저도 머리 많이 길어있겠네요."

나는 어깨에 아슬하게 닿는 내 머리카락을 매만졌다. 기분이 다시 씁쓸해졌다.

"그럼 그거 어때요? 서린 씨 돌아올 때까지 둘 다 머리 안 자르기."

정욱이 빙긋 웃으며 제안했다.

"좋아요. 둘 다 어떻게 변했을지 궁금하네요. 서로 못 알아보고 그런 거 아니겠죠?"

나도 기분 좋게 웃었다. 그렇게 우린 경사진 길을 내려갔다. 정욱은 중간에 빙판을 보지 못해 그만 발이 미끄러졌고 나는 순간적으로 그의 팔을 붙잡았다. 정욱도 내 팔을 꽉 쥐고 있었다. 우린 둘 다 놀란 눈을 하고 서로를 바라보았다. 그러다 동시에 푸하하 웃음을 터뜨렸다.

외할머니가 호스피스 병동으로 옮겨진 지 일주일만이었다. 나는 숨을 돌릴 겸 잠시 병실 복도로 나왔다. 창밖에는 눈송이가 깃털처럼 우아하게 떨어지고 있었다. 나는 우두커니 앉아 일주일 사이에 이곳에서 목격한 죽음들을 떠올렸다. 어제는 앞자리 할머니 한 분이, 오늘은 옆자리 아주머니 한 분이 임종이 가까우면 들어가는 방으로 옮겨졌다.

밤에 간이침대에서 쪽잠을 청할 때면 누군가의 거친 숨소리가 비명처럼 들려왔다. 이는 어두운 생각을 몰고 왔고 나는 병실 밖의 밝은 삶을 떠올리려고 애썼다. 그러다 보면 설기로가 생각났다. 정확히는 설기로에서 정욱과 같이 걷던 날들이었다. 언젠가 시간이 지나서 정욱을 다시 만났을 때 지금의 내 경험을 모두 말해주어야지. 그렇게 생각하니 기분이 좀 나아져 다시 잠이 들곤 했다.

정욱은 그동안 내게 몇 번 안부 문자를 보내오기도 했다. 괜찮냐는 그의 말에 힘든 심정을 모두 토로하고 싶다가도 나는 그냥 괜찮다고 답했다. 그러는 몇 주 사이에 외할머니가 돌아가셨다. 정신없이 장례를 치르고 부모님의 일손을 보태는데 삼 개월이 훌쩍 지나버렸다.

칙칙하게 죽어있던 세상은 눈 깜짝할 사이에 싹을 틔우고 꽃을 피우고 있었다. 나는 그간 한 번도 정욱을 잊은 적은 없었으나 바쁜 시골 생활에 묻혀 지내다 보니 그의 존재가 조금 흐릿해져 가는 것은 사실이었다. 그건 정욱도 마찬가지인 건지 어느 순간부터 우리는 연락을 주고받지 않았다. 그러던 중에 나는 전화 한 통을 받았다. 회사에서 아직 자리가 비었다며 복직하라는 전화였다.

다시 돌아간 사무실은 여전했다. 5월은 종합소득세 신고 기간이라 나는 복직하자마자 야근을 해야 했다. 산더미같이 쌓인 업체 파일들을 들춰보다가도 반대편 자리 정욱이 신경 쓰였다. 몇 달간의 공백 때문일까. 아직 정욱과 인사 외에 별다른 말을 섞어 본 적이 없었다.

때마침 중국집 배달원이 철가방을 들고 사무실로 들어왔다. 이 과장이 저녁 먹고 하자며 자리에서 몸을 일으켰다. 다들 모여 앉아 그릇 포장을 뜯는 중에 계산하고 돌아온 지은이 당황한 표정으로 말했다.

"아무래도 제가 주문을 잘 못 한 것 같아요. 제 볶음밥 하나가 안 왔어요."

"그럼 이거같이 먹어요."

지은 옆에 앉은 정욱이 자신의 접시를 밀었다. 그러고는 그는 젓가락과 숟가락을 챙겨 지은 앞에 놓아 주었다. 이를 보고 이과장이 회심의 미소를 지으며 말했다.

"정욱 씨 그사이 많이 변했어. 칼 같은 사람인 줄 알았더니 따뜻한 면도 있었네. 그렇지 않아 서린 씨? 서린 씨 가기 전까지 이 친구 이렇진 않았지?"

대화의 불씨가 갑자기 내게 튀었다. 나는 흘끔 이과장을 보고는 정욱을 보았다. 정욱도 나를 보고 있었다. 무심한 정욱의 표정에 단정하게 잘린 그의 머리가 내 눈에 들어왔다.

"저는 잘 모르겠는데요?"

나는 단조롭게 대답하고는 시선을 피했다. 밥을 먹는 내내 나는 알 수 없는 두근거림과 긴장감에 사로잡혀 있었다.

내가 결산을 마무리했을 때쯤 다들 퇴근하는 분위기였다. 나는 결재 파일들을 정리해서 올려놓느라 조금 늦게 사무실을 나왔다. 얼마 걸어가지 않아 낯익은 승용차가 내 옆에서 속도를 늦췄다. 정욱의 차였다.

"집에 가시죠? 같이 가요."

나를 태운 정욱의 차는 부드럽게 도로를 나아갔다. 차 안의 익숙한 방향제 냄새가 과거의 기억을 상기시켰다. 그간 정욱에게 하고 싶은 말이 많았던 나였지만 막상 그를 다시 보니 어떤 말부터 꺼내야 할지 몰랐다.

"그동안 잘 지냈어요?"

정욱이 나지막한 목소리로 먼저 운을 뗐다.

"그냥요. 정욱 씨는요?"

"저도요."

차 안엔 어색한 공기가 감돌았다. 잠깐의 침묵이 이어졌다.

"저…사귀는 사람이 생겼어요."

대뜸 들어온 정욱의 말에 내 눈이 동그래졌다. 다시 부풀어가던 내 마음이 갈기갈기 찢겨나가는 순간이었다. 나는 그런 속내를 감추려고 애써 밝은 티를 냈다.

"정말요? 축하해요…."

내 목소리가 미세하게 떨렸다. 정욱은 잠깐 고개를 돌려 내게 옅은 미소를 지었다. 나도 웃어 보였지만 이내 표정이 공허해졌다.

다음날 나는 야근이 끝나고 홀로 설기로에 나갔다. 작년 겨울 이후 처음 가보는 길이었다. 미적지근한 공기가 봄을 실감케 했고 날씨 때문인지 밤늦게도 그곳을 걷는 사람들이 종종 있었다.

천천히 발걸음을 옮기던 나는 예상치도 못하게 피식 웃었다. 정욱과의 시시콜콜한 기억이 떠올라서였다. 그러나 이내 코가 시큰해져 우울한 기분이 들었다. 이제는 다시 돌이킬 수 없는 일들이었다.

반환점에 도달하자 나는 달리고 싶은 충동에 휩싸였다. 그래서 막다른 길을 돌아섬과 동시에 땅을 박차고 나아갔다. 길어진 내 머리카락이 바람에 찰랑거렸다. 그리고 얼마 되지 않아 숨이 차고 이마에 땀방울이 맺혔다.

나는 어느새 설기로 중반까지 달렸고 멀리서 걸어오는 두 사람이 내 시야에 들어왔다. 점차 그들은 내게 가깝고도 선명해졌다. 그리고 마침내 그들이 누군지 알게 되었을 때 충격과 고통이 내 안에 휘몰아쳤다.

정욱과 지은이 서로의 손을 맞잡고 걸어오고 있었다.

나는 고개를 푹 숙인 채 속도를 내기 시작했다. 그들이 나를 알아보지 못하도록. 숨이 끊어질 듯 달렸다.

얼마 지나지 않아 두 사람의 웃음소리가 내 귓가에 가까워지다 점점 멀어져갔다.

| 05 |

깨진 유리창

서로

소설

서로

책 장르 중 소설을 제일 좋아한다. 글을 잘 쓰는 작가들이 세상에 어찌나 많은지 책을 읽을 때마다 늘 감탄하며 읽는다. 노후에 도서관 근처에서 사는 게 꿈이나 아직은 30대 직장인에 불과하다. 바쁜 시간 쪼개어 소설을 쓸 때 스스로 뿌듯해지고는 한다.

깨진 유리창

 # 중학생 유지애

무엇을 그릴지 정하는 것은 장래 희망을 적어내는 것만큼 어려운 일이었다. 수요일 3교시 미술 수업은 보통 자유 주제였기에, 오늘도 어김없이 나의 도화지는 비어 있었다. 한참을 멍하니 반 친구들이 사각거리며 도화지를 채우는 소리나 듣고 있으니, 문득 신 것이 먹고 싶어졌다. 그러자 생각난 것이 자두였다. 나는 새어 나오는 침을 삼키며 조금씩 곡선 형태를 그리기 시작했고, 나름 빛의 방향을 계산하며 표면에 명암을 채워 넣었다. 점점 연필 끝이 뭉툭해진다. 그래서 그런지 자꾸 자두 꼭지가 두꺼워졌다. 지우개로 연신 지워보다가 주변이 조용해진 것이 이상해 고개를 들었다. 도화지에 코를 박고 있는 곱슬머리가 제일 먼저 눈에 들어왔다. 내가 알기론 우리 반에서 저런 곱슬머리를 가진 이는 K뿐이었다. 다른 친구들은 벌써 교실로 돌아갔는지 미술실에는 나와 K, 둘만 남아버린 모양이다. 슬쩍 K의 도화지를 훔쳐보니 오각형 하나를 두고 선이 쭉 뻗쳐있다. 무엇을 그리나 싶어 물끄러미 쳐다보다가 K와 눈이 마주쳐버렸다. K는 씩 웃더니 큰 원 하나를 그려 넣었다. 그제야 그 형태가 축구공임을 알아챘다. 나도 스케치북을 들어, 내 그림을 보여주었다.

"사과야?"

"아니, 자두인데…"

서로의 예술 세계를 단박에 이해하지 못하는 게, 몇 마디 섞어보지 않은 낯선 사이임을 드러내는 듯했다. 나는 그 어색함을 떨쳐내고자 자리에서 먼저 일어났다. K보다 빨리 미술실을 나서고 싶어 서둘렀으나, 지우개 가루가 날린 책상은 지저분했고 치우는 일 또한 번거로웠다. 손 바쁘게 움직이다 보니 K도 금방 정리를 마친 듯했다. 어쩔 수 없이 나란히 미술실에서 나와 교실로 향했다. 복도는 오늘따라 길어 보였고, 서로의 어깨는 반걸음 정도 차이가 났다.

"넌 뭐가 좋아?"

갑자기 K가 말을 걸어왔다. 나는 스케치북을 고쳐 잡으며 책이라고 작게 대답했다. 내 대답에 K는 눈가를 살짝 떨더니 자신은 축구가 제일 좋다며 배시시 웃었다. 얌전히 앉아 있어야 하는 미술 같은 수업은 자신에게는 너무 어려운 일이라고 덧붙였다. 그 말은 체육 외 모든 수업은 다 좋아하지 않는다는 것처럼 들렸지만 더 자세히 물을 용기는 나지 않았다. K도 나처럼 무엇을 그릴지 한참을 고민했고, 겨우 선 몇 개를 그어 축구공을 그리기 시작한 게 아닐까 싶어서였다. 미술실에서보다 또렷해진 눈동자를 바라보며 속내를 가늠하려고 애썼지만 쉽지는 않았다.

그 이후로 이어진 대화 소재는 서로가 좋아하는 것과 좋아하지 않는 것을 나열하는 게임처럼 이어졌다. 같은 반 친구들 누구와도 잘 어울리는 K는 의외로 호불호가 확실했다. 이것도 좋고 저것도 좋은 타입인 줄 알았더니, 이것은 이래서 좋고 저것은 저래서 싫고를 설명하는 것에 자신만의 원칙이 있었다. 조금씩 말이 빨라지며 모르는 단어가 튀어나왔지만, 그 맥락은 어렵지 않게 느낄 수 있었다. 계단을 내려가는 순간에도 K의 입은 멈추지 않았고, 생각보다 목소리가 낮아 귀가 간지럽다고 생각했다.

이윽고 도착한 교실은 유달리 어수선했다. 뒷문에 멈추어 서서 둘러보니 다들 교복을 체육복으로 서둘러 갈아입는 중이었다. 본래 4교시는 국어였으니 급하게 체육으로 바뀐 모양이다. 순간 체육이 제일 좋다던 K의 말이 떠올랐고, 어떤 표정을 지을지 궁금해져 몸을 돌렸다. 예상과 달리, 앙다문 입술 위로 흔들리는 눈동자가 보였다. K는 곧이어 팔을 들었고, 뒷문 유리창을 향해 주먹을 내질렀다. 와장창. 유리창은 몇 조각 파편으로 나뉘어 후드둑 떨어졌다.

"괜찮아? 손 좀 봐봐!"

바로 K의 손을 살폈다. 바닥에는 깨진 유리 조각이 흩어져 있었고, 다른 친구들도 무슨 일인가 싶어 K의 주변으로 몰려들었다. 찬찬히 쥐고 있는 손을 살펴보니 작은 생채기가 한 줄 그어져 있었다. 요란했던 소리와 다르게 생각보다 멀쩡한 느낌이었다. 아무래도 평소에 무릎과 팔에 멍을 여럿 달고 사는 K인지라 그보다는 덜하지 않나 하는 생각이 들었다. 하지만 종이에 얇게 베인 상처조차 쓰라리고 아프다는 것을 알기에 K에게 괜찮냐고 물을 수밖에 없었다. K는 무덤덤하게 그저 주먹을 바라보고 있었다. 다른 친구들의 호들갑에도 별다른 반응이 없었다. 혹시 이 친구가 머리까지 다쳐버렸나 싶어 곱슬머리를 당겨보았으나, 바로 K의 한숨 소리를 들었다. 제정신이기는 한 모양이었다.

K가 학교에서 다친 것은 오늘이 처음이 아니었다. 턱걸이한다고 철봉에서 무리하게 매달리다가 손목에 붕대를 감고 다니지를 않나, 청소 시간에 걸레질한다며 뛰다가 넘어져 무릎과 손에 쓸린 상처를 얻지를 않나. 보건실이나 병원을 뭐 맡겨 놓은 것이 있는 것처럼 자주 들락날락했다. K가 자주 다치는 것에 대해 담임선생님이 주의를 주거나 혼을 내줘야 하지 않을까 생각했지만, 선생님은 몇 번이나 K의 상처에 시큰둥한 반응을 보였다. 방금 일어난 사건도 말해봤자 별다른 도움이 되지 않을 게 뻔했다. 차라리 빗자루를 들고 와 깨진 유리창 조각을 쓸어 담고 있는 친구들이 훨씬 더 K에게 도움이 될 것 같았다. 괜찮냐고 챙겨주는 친구들 사이에서 K는 아까보다 안정되어 보였다.

스피커 너머로 4교시 시작을 알리는 종이 울렸다. 저 멀리 체육 선생님이 오고 있는 게 보였다. 수업 시간이 다 되어도 운동장에 오지 않은 학생들을 찾으러 오신 모양이었다. 그 모습에 나는 K의 어깨를 살짝 감싸 쥐었다.

체육 선생 김도형

운동장이 모래에서 인조 잔디로 바뀐 것은 불과 한 달 전 일이었다. 도형은 여전히 적응되지 않는 초록빛의 운동장을 바라보았다. 카펫이 깔린 듯한 표면은 햇빛을 받더니 강렬한 색감을 마음껏 드러냈고, 그걸 바라보니 눈이 좀 뻑뻑해지는 것 같았다. 그래서인지 21명으로 보여야 할 학생들이 5명으로 보였다. 도형은 손으로 눈가를 지그시 누르며 다시 운동장을 보았다. 여전히 5명이었다.

"다른 친구들은? 수업 바뀐 게 전달이 안 되었나?"

물론 수업이 국어에서 체육으로 급박하게 바뀌긴 했다. 학생들도 체육복을 갈아입을 시간이 필요했을 터, 허나 제 시간에 나온 학생들도 어리둥절해하며 별다른 답을 내놓지 못하고 있는 걸 보니, 필시 교실에서 무슨 일이 생긴 게 분명했다. 대개 애들끼리 싸우고 있거나, 사고를 쳐서 수습하고 있을 것이다. 대다수의 학생이 오지 않았으니, 골치 아픈 사건이 터진 것이 분명했다. 이럴 때는 학생들을 보내봤자 소용없다. 도형은 직접 교실에 가서 상황을 살펴보기로 했다.

"선생님! 유리창이 깨졌어요. 아니, 깼어요!"

2층 교실로 올라가니, 학생들이 산만하게 복도에 서 있었다. 그들은 도형을 보더니 각자의 시각에서 본 사건에 대해 떠들기 시작했다. 한 사람이 간결하게 설명해 주면 좋으련만 네다섯 명이 다다다 말을 쏟아내니 파악하기가 힘들었다. 이럴 땐, 백 마디 말보다 한가지 행동이 나을 때가 있다. 주변을 둘러보니 바닥에 주저앉아 손을 감싸고 있는 K로부터 시작된 일인 것 같았다. 바닥에는 유리 조각이 흩어져 있어 몇몇 학생들이 치우는 중이었다. 그 외에 수많은 눈동자가 어른의 대처를 기다리는 듯 도형을 향해있었다. 그는 숨이 턱 막혀왔다.

"우선 K는 보건실에 다녀와."

교실 유리창이 깨지는 일은 생각보다 흔했다. 작은 공이 날아와도 깨져버리는 게 유리이기 때문에, 학기 중에도 두어 번은 일어나는 사고 중 하나였다. 그래서 K처럼 크게 다치지 않고 작은 상처로 끝난 거면 오히려 감사해야 할 일이었다. 그런데 도형은 어째 기시감이 들었다. 마치 전에 있었던 것처럼 익숙한 느낌이었다. 유리창은 아니었다. 아, 모든 상황은 달랐지만, K가 다쳤던 일이 한 달 전에 있었다. 운동장이 인조 잔디로 덮이기 이틀 전의 일이었다.

그날은 반 대항 축구 경기가 있었던 날이었다. 학생들은 삼복더위에도 운동장의 모래 먼지를 휘날리며 뛰었고, 그 가운데 K는 단연 눈에 띄었다. 구릿빛 피부와 천연 곱슬머리인 탓도 있었지만, 그중 가장 많이 운동장을 휘젓고 다니는 인물이었기 때문이었다. 그만큼 다른 학생들의 견제도 엄청났다. K는 태클에 걸려 몇 번이나 넘어졌고, 그 나이대 애들이 자주 뱉는 크고 작은 욕설에 집중 대상이 되었다. 심판을 맡은 도형이 몇 번이나 주의를 줘도 소용이 없었다. 경기가 진행될수록 K의 팔과 다리에는 상처가 늘어갔다.

-삑

호루라기 소리와 함께 치열했던 축구 경기가 끝나고, 모두가 집으로 돌아간 운동장에는 K만이 남아있었다. K는 여전히 축구공을 가지고 놀며 떠날 생각이 없어 보였다. 경기 중에 입은 상처에는 이미 가벼운 처치를 해둔 상태이긴 했지만, 도형은 이만 돌아가서 쉬라고 말해야겠다고 생각했다. 도형은 K에게 다가갔다.

"축구공을 창고에 넣어야 하니 주고 돌아가라."

그 말에 K는 못 알아들은 것인지, 못 들은 척하는 것인지 대답을 하지 않았다. 도형은 다시 같은 말을 반복했다. 그제야 K는 멈추어 서서 도형과 눈을 맞췄다. 그 눈에는 조금의 반항심이 담겨 있어, 못 들은 척한 것임을 짐작할 수 있었다.

"더 놀 거예요. 축구공 빌려주세요."

K의 말은 조금 어눌했고, 웅얼거리는 것처럼 들렸다. 도형은 안 된다고 말하며 K의 발치에 있던 공을 주워들었다. 그동안 공을 빌려달라는 학생들은 많았지만, 없어지는 경우가 생길까 싶어 늘 거절해 오고 있었다. 그는 K에게 빌려줄 수 없는 이유에 관해 설명해 주려다가, K가 주변에 있는 돌멩이를 걷어차며 화풀이하는 것을 보았다. 친구들에게 경기 중 욕을 들을 때는 한마디 안 하고 입을 꾹 닫고 있었던 K였다. 경기 내내 인상 한 번 찌푸리지 않고 걸

어오는 태클에도 짜증 한 번 내지 않았던 K였다. 겨우 공 하나 빌려주지 않는다는 이유로 선생님 앞에서 신경질을 내는 것 같아 도형은 기가 찼다. 요즘 아이들은 서운한 일이 생기면 곧바로 그 감정을 표현하는 것에 능숙했다. 본인이 조금이라도 손해 보는 일이 생기면 목소리를 높이고 하나부터 열까지 따져 물었다. K는 요즘 아이들과 다를 것이라는 편견을 가지고 있었나 보다. 도형은 K에게 어떤 말을 해야 하나 싶어 말을 골랐지만, 골치 아픈 일에 말려들지 않을까 하는 우려가 들기 시작했다. 그래서 입을 다무는 편을 택했다. K도 별다른 대꾸 없이 슬쩍 도형을 쳐다보더니 몸을 돌렸다.

와장창. 도형이 축구공을 가져다 놓기 위해 창고에 들어가려던 참이었다. 그때 무언가 깨지는 소리가 귓가에 들렸다. 소리가 난 쪽으로 몸을 돌리니, K와 깨진 화분이 눈에 보였다. 교장 선생님이 무척이나 아끼는 큰 나무 화분이었던지라, 도형은 낭패라는 생각부터 들었다. 저게 왜 K 앞에서 깨져있는 것일까. 그는 머리를 한 대 맞은 듯 순간 아무 행동도 할 수 없었다. 자신도 모르게 K를 위아래로 쳐다보며 황당한 눈빛을 쏘아댔다.

"저 아니에요. 다른 애가 넘어뜨리고 달아났어요."

K의 말에 도형은 주변을 돌아보았으나 아무도 보이지 않았다. 자신이 창고로 걸어간 시간은 30초 남짓, 그 사이에 화단으로 걸어가던 K였다. 돌멩이로 모자라서 화분까지 걷어찬 것일까. 별일 아니라는 듯 무심한 K의 표정은 그의 의심을 더욱 부추겼다.

"네가 아니면 누가 그랬는데?"

답은 침묵으로 되돌아왔다. 도형은 흙먼지조차 가라앉은 고요함이 둘 사이에서 맴도는 것 같다고 생각했다. 한껏 억울한 표정을 지으며 다른 학생 이름을 크게 외쳐야 하는 상황이 아닌가. 아까 축구를 하던 그 모습이 겹쳐 보였다. 친구들에게 싫은 티 한 번 내지 못하던 K의 모습 말이다. 그렇지만 말하지 않으면 분명 K의 잘못이었다. 도형은 그것은 확실하게 K에게 일러주었으나, K는 저는 아니에요, 라는 말 한마디만 남기고 자리를 피했다.

결국 깨진 화분과 도형은 단둘이 남겨졌다. 그는 바닥에 처박힌 나무를 물끄러미 쳐다보다가 조심스레 집어 들었다. 누가 그랬는지는 이미 물 건너갔고, 바닥에 흩어진 흙과 깨진 화분을 치우는 것은 오로지 도형의 몫이 되었다. 또 가지가 부러져버린 나무도 몹시 곤란한 일이었다. 하아. 도형은 크게 한숨을 쉬고 몸을 일으켰다. 그와 동시에 저 멀리서 빗자루와 쓰레받기를 들고 뛰어오는 누군가를 보았다.

K를 보건실로 보내고 난 뒤, 깨진 유리 조각이 담긴 신문지를 챙기던 도형은 기시감이 들었던 또 다른 이유를 알아챘다. 그때 빗자루와 쓰레받기를 들고 왔던 학생이 K 근처에 있었다. 이름은 여전히 모르지만, 얼굴이 기억났다. 어쩌다 보니 K가 사고 친 모습을 보게 되어 정리하는 것을 도와주려고 왔다고 했다. 그 마음이 고마워 맛있는 것까지 사주고 집에 보냈었다. 오늘도 어김없이 K가 친

사고를 수습하고 있는 것처럼 보였다. 저 학생도 자신 못지않게 K랑 얽히게 되는 것 같다. 이름이라도 기억해 둘까 싶어 명찰을 살펴보니 이재우라고 적혀있었다. 도형은 학생들 이름을 외우는 것은 자신 없었지만, 그래도 노력해 봐야겠다고 생각했다.

 # 중학생 유지애

작은 생채기 하나가 몇 겹의 붕대가 되어 돌아왔다. 보건실에서 돌아온 K의 손에는 붕대가 꽤 두껍게 감겨있었다. 누가 보면 뼈라도 부러진 것처럼 보일 모양새였다. K의 주변으로 반 친구들이 둘러싸고 서서 이것저것 묻고 있었다. 나도 듣고 싶었지만, 자리가 멀어 잘 들리지 않았다. 평소 친하지 않았으니 괜찮냐고 묻는 것도 어렵게 느껴졌다. 하지만 이것저것 묻고 싶은 것은 오히려 나였다. 이윽고 친구들이 뜸해져 K 혼자 자리에 남았을 때야 다친 손에 관해 물어 볼 수 있었다.

K는 딴청을 피우며 손을 등 뒤로 숨겼다. 순간 알 수 없는 감정이 밀려왔다. 다른 친구들에게는 이것저것 설명하더니, 나는 겨우 복도에서 몇 마디 나눈 친구에 불과했나 보다. 그 정도로 친해진 것처럼 내가 착각했던 걸까. 다시 어색했던 미술실로 돌아간 듯했다. 하지만 그러기에는 K가 말했던 것들이 너무 생생하게 기억났다. 몇몇 친구들 이름을 하나하나 짚어가며 좋아하는 이유를 말해주었던 것이다. 그 친구들이 떠오르며 괜히 신경이 쓰였다. 그래서 K에게 유리창을 깬 이유라도 들어야겠다고 생각했다. 하지만 그

타이밍에 체육 선생님이 나를 교무실로 호출했다. K의 일로 물어볼 게 있으니 와달라는 거였다.

"K는 얼마 전에 화분도 깨더니 이번에는 유리창도 깨고 부주의한 행동을…"

체육 선생님이 골치가 아프다는 듯이 이마를 짚었다. 나는 내 잘못인 것처럼 얌전히 듣고 있다가 문득 화분이라는 단어에 꽂혔다. 화분은 언제 또 깨 먹었을까. 옆에 앉아계시던 담임 선생님이 사고가 발생하면 다 K의 짓이라며 인상을 찌푸렸다. 무언가 망가지면 다 K가 한 것이라고 학생들이 하나같이 말하는데, K는 죄송하다는 한마디를 못 배운 것 같다며 투덜거리시기까지 했다. 내가 모르는 또 다른 일들이 있었던 걸까. 거기에 덧붙여 체육 선생님은 교장 선생님이 아끼시던 나무였다며 그때만 생각하면 지금도 진땀이 난다고 했다. 그때 한 달 전쯤 봤던 장면이 순간 스쳐 지나갔다. 내가 착각한 게 아니라면 그때 일을 말하고 있는 것 같았다.

"선생님 잠깐만요. 화분이요?"

"아, 너는 모르겠지만 화단에 교장 선생님이 아끼시던 나무가 있었는데…"

"그거 재우가 깬 거잖아요. K가 아니라."

순간적으로 체육 선생님의 당혹스러운 표정이 스쳐 지나갔다. 나야말로 화분을 망가뜨린 것이 왜 K가 한 일로 둔갑해 있는지 의아스러웠다. 그 때의 기억을 찬찬히 떠올려 내가 봤던 상황을 선생님에게 설명했다. 목소리도 작고 말을 논리 있게 하는 편이 아니라

선생님이 몇 번이나 되물어야 했지만, 최소한의 설명은 다 한 것 같았다.

내일까지 해야 하는 숙제를 학교에 두고 온 날이었다. 텅 빈 교실에 운동장에서 소란스러운 소리가 들려왔다. 모두 나처럼 숙제를 두고 간 것은 아닐 테고 무슨 일인가 싶어 창 너머를 쳐다보았다. 한참 축구 경기가 진행되고 있었다. 한 사람씩 살피니 익숙한 얼굴들이 여럿 보였다. 초록 조끼를 입은 쪽에 우리 반 애들이 반절 가까이 있는 걸 보니 반 대항 경기인 모양이었다. 축구에는 일절 관심이 없어서 오늘인 줄도 몰랐다. 나름대로 몸싸움도 벌이며 현란한 기술까지 등장하니 생각보다 흥미진진했다. 앗. 그때 K가 다른 반 애의 태클에 걸려 넘어졌다. 그래도 금방 일어서서 뛰는 걸 보니 크게 아프진 않나 보다. 경기는 거기까지 보기로 하고 이왕 온 김에 숙제나 하기로 했다. 시끄러운 와중에도 숙제에 집중하니 어느새 경기가 끝나 있었다. 애들은 다 집으로 돌아갔는지 운동장에는 세 사람만 남아있었다. 창고로 축구공을 들고 가는 체육 선생님, 느릿한 걸음으로 화단 쪽으로 가는 K, 그리고 큰 나무 화분 뒤에서 신발 끈을 고쳐 매는 재우까지.

그러다가 재우가 균형을 잃고 나뭇가지와 부딪혔다. 와장창 소리가 나며 화분이 깨지고, 재우는 그새 건물 안으로 자취를 감추었다. 그 뒤로 체육 선생님과 K가 대화를 나누고 있었다. 누가 화분을 깼는지 말하고 있는 것처럼 보였다. 이어 K는 가버리고, 재우가 빗자루와 쓰레받기를 들고 와서 체육 선생님과 함께 깨진 화분 조각과 흙을 쓸어 담았다. 처음에는 재우가 화분을 깨뜨리고 도망갔나 싶었지만, 청소도구를 챙기러 들어간 듯했다. 본인이 깨뜨리고 본인이 청소했으니 별일 아닌 일이었다. 하지만 선생님들이 교장 선생님이 아끼는 것이니 각별히 조심하라며 주의를 줬던 것이 기억났다. 보상하라고 하진 않겠지만 혼은 좀 나겠다고 생각했다. 나는 숙제를 마치고 교실을 나왔다.

내 말을 끝까지 듣고 나서 체육 선생님은 본인이 겪은 상황에 관해서도 설명해 주었다. 그렇다면 재우가 K가 한 것처럼 말을 꾸며냈다는 것일까. 체육 선생님은 본인이 직접 보질 못했으니, 한쪽의 말만 듣고 그 상황을 판단해 버린 것 같았다.

"그럼 K는 왜 재우가 한 일이라고 말하지 않았던 거야?"

옆에서 가만히 듣고 계시던 담임선생님이 질문을 던졌다. 그 질문이 나에게 묻는 것인지 체육 선생님에게 묻는 것인지 헷갈렸다. 잠시의 침묵이 흐르자, 복도에서 K가 재우에 대해 말했던 부분이 떠올랐다. 축구할 때 자신에게 패스를 가장 많이 해주는 친구라고 했었다. 그러더니 반 친구들이 축구공 말고 자신에게 다른 것을 패스해 줄 때도 있다고 했다. 같은 팀이니 무엇이든지 받아줘야 하냐고 묻기에 알 수 없는 농담을 한다고 생각해 가볍게 넘겼었다. 재우는 축구공과 무엇을 K에게 패스했던 걸까. 함부로 둘 사이의 일을 판단하면 안 되지만 자꾸 한쪽으로 생각이 기울었다. 재우가 자기 잘못을 K에게 떠넘긴 게 아닐까 하는 의문이었다.

"K는 친구들과 축구하는 것을 가장 좋아합니다. 그것과 무관하지 않다고 생각해요."

체육 선생님이 먼저 대답을 내놓았다. 내 생각과 크게 다르지 않은 대답인지라 덩달아 고개가 끄덕여졌다. 친구의 잘못을 이르는 것은 어렵지 않다. 하지만 그 이후 축구 경기에서 재우가 패스를 해주지 않을 거라는 두려움이 더 컸을 것이다. 우리는 선생님들에게 혼나는 것보다 한 친구의 외면에 상처받는 경우가 훨씬 많으니까. 또한 K는 분명 '반 친구들'이라고 했었다. 이 사건 말고도 다른 사건 또한 덤터기 썼다는 말이 된다. 혹시나 해 최근에 있었던 다른 사건도 담임선생님에게 물어보았다. 어김없이 K의 잘못으로 둔갑하여 있었다.

"그럼, 잘잘못을 가려내는 것은 큰 의미가 없네. K가 그걸 들춰내고 싶지 않아 하니까."

담임선생님은 열 길 물속은 알아도 한 길 학생의 속은 모르겠다며 혀를 찼다. 그 모습을 보며 K가 누군가는 알기를 바랐을 거로 생각했다. 마음 한편에 쌓여있던 깨진 파편을 밖으로 꺼내 보인 게 그다지 친하지 않았던 나였으니 말이다. 반면 체육 선생님은 K도 재우도 다 거짓말을 했으니 어느 쪽도 두둔하고 싶지 않다고 선을 그었다. 그 말도 틀리지 않다고 생각하며 이만 가보겠다고 선생님들에게 말했다. 교무실의 차가웠던 공기에서 나오니 복도의 무더운 공기가 느껴졌다.

K는 유리창을 깬 잘못으로 학교 쓰레기를 줍는 벌을 받았다. 무더운 여름에 땀을 뻘뻘 흘리며 한 봉지를 가득 채워 왔는데, 누가 보아도 단시간에 혼자 주워 올 수 있는 양이 아니었다. 쓱 둘러보니 뜬금없이 땀을 흘리고 있는 몇 명의 애들이 있었다. 그 무리 중의 한 명이 재우였다. 땀방울을 훔치며 서로 장난을 치는 모습에 나는 작게 미소 지었다.

#중학생 K와 지애

사과같이 생긴 자두와 살짝 어그러진 축구공은 그다지 좋은 점수를 받지 못했다. 미술 선생님 눈에 썩 마음에 드는 결과물은 아니었던 모양이다. 지애와 K는 서로의 점수를 번갈아 쳐다보며 헛웃음을 지었다. 미술실에 세 번이나 끝까지 남아있었던 것치고는 초라한 결과였다. 두 사람의 점수는 처참했지만 딴 짓하고 놀았던 시간이 반 이상이었으니 할 말이 없었다. 높은 점수를 받은 다른 친구들의 작품을 구경하며 둘 다 그림에 재능이 없음을 새삼 깨닫고 자리로 돌아왔다. 대각선으로 멀리 떨어져 앉았던 지난번과 다르게 이번에는 나란히 앉은 채였다.

"노래 같이 들을래?"

K가 한쪽 이어폰을 지애의 손에 올려놓았다. 지애는 그것을 받아 왼쪽 귀에 꽂았고, 이어 부드러운 바이올린 선율이 담긴 노래가 흘러나왔다. 이어폰을 꽂지 않은 한 쪽 귀로 미술 선생님의 목소리가 들렸지만 두 사람 모두 각자의 세상에서 다른 생각에 잠겨 있

었다.

K의 손은 일주일 조금 지나 아물었다. 보건 선생님이 열정을 쏟아 붕대를 감아준 덕분일지도 몰랐다. 그 상처에 대해 지애는 손등에 작은 생채기로 알고 있지만, 사실 손바닥을 스친 유리 조각의 상처가 더 깊었다. 흉터가 오래갈지도 모르겠다는 보건 선생님 말씀에 K는 그저 알겠다고만 했다. 손 말고도 팔과 다리에 이미 흉터가 여러 개 있어 상관없었다. 하지만 K는 손바닥의 흉터는 지애가 굳이 알아야 할 필요는 없다고 생각했다. 복도에서 빙빙 돌려 말했던 것도 곧잘 눈치채버린 지애였다. 요새 들어 K를 바라보는 선생님들의 눈빛이 달라진 것으로 알 수 있었다. 물론 K는 그것을 따로 내색하지는 않았다. 그저 지금처럼 미술 시간에 함께 할 친구가 생긴 것으로 족했다.

지금 듣고 있는 노래는 지애가 하도 흥얼거려서 K가 찾아낸 곡이었다. 그리기에 집중했을 때 저도 모르게 부르는 것 같았다. 가사가 없는 노래인지 음음 허밍만 반복하길래 뭔가 싶었다. 음이 익숙한 것도 같아서 듣다 보니 TV 광고에서 들었던 기억이 났다. K는 광고 삽입곡을 검색했고 바로 제목을 찾을 수 있었다. 그때 그 노래를 재생 목록에 추가해 놓았던 것이 문득 생각이 나서 지애에게 들려주었다. 역시나 좋아하는 노래인지 지애가 손가락을 휘저으며 리듬을 탔다. 지애와 취향은 많이 다른 편이지만 노래는 같이 공유할 수 있을 것 같다고 K는 생각했다.

예상 밖의 선곡이네. 지애는 속으로 음률을 흥얼거리며 그 의미를 생각하고 있었다. 그도 그럴 것이, 지애가 최근에 읽었던 소설에 나오는 곡이었다. 얼핏 기억을 더듬으니, K에게 재밌게 읽은 책이라고 추천했던 것 같았다. 차분한 문체로 쓰여 K에게는 다소 지루했을 것이다. 지애는 그 모습을 보지 못했는데도 눈에 선했다. 미술실에 앉아 있는 것도 좀이 쑤셔서 저렇게 몸을 배배 꼬는 K인데. 딱히 읽기를 바라고 말했던 것이 아니기에 좀 놀랐다. 수업 시간인지라 책 이야기를 나눌 수 없는 것이 아쉬울 따름이었다. 지애는 그저 손가락을 까딱거리며 노래에 녹아들었다. 오늘따라 트럼펫 소리가 유리창이 깨지던 소리와 겹치게 들렸다.

뒷문은 유리창을 잃고 사흘 동안 휑하니 비어 있었다. 반 친구들은 그걸 볼 때마다 K를 바라보며 웃어댔다. K는 멋쩍은 얼굴로 머리를 박박 긁더니 어디선가 신문지를 구해와 그 자리를 가려 놓았다. 좀 엉성했으나 없는 것보단 나았다. 주말이 지나자, 유리창은 말끔하게 새것으로 교체되어 있었다. 그 유리가 교실에 있는 것 중에서 가장 빛난다고 지애는 생각했다.

"다음 주제는 손 그리기야. 자기 손도 좋고 친구 손도 괜찮아."

노래가 끝나감과 동시에 미술 선생님이 새로운 주제를 발표했다. 지애는 자신의 희고 얇은 손가락을 이리저리 움직이며 살피다가 K의 손등을 넌지시 바라보았다. 붉은 선 하나가 흐릿했다. 지애의 집요한 시선이 느껴지자, K는 괜히 손등이 간지러웠다.

두 사람은 서로의 손을 그리기로 했다. 여전히 서투른 그림 솜씨지만 축구공과 자두를 그릴 때 보다는 훨씬 빠를 것이다. 이제는 무엇을 그릴지 확실하게 정했기에.

| 06 |

썸머 타임

송성아

소설

송성아

클라우드에 숨어 있던 대본에서 지금의 따뜻한 소설이 될 수 있었던 건, 마음이 한 뼘 정도 만만해졌다고 해야 할까. 가장 좋아하는 건 내 곁에서 하얀 암모나이트, 젤리피쉬처럼 자고 있는 코코를 보는 아침이다.
나는 삐뚤삐뚤한 글씨 같지만 따스한 순간들을 담고 싶어 글을 쓴다.
여름을 만나 '너의, 그의, 그녀의'가 아닌 그냥, 나를 찾아가길 바라는 마음에서 이야기가 시작된다.

썸머 타임

여름은 오늘도 오브리[1] 뛴다

한 달 전.

다다닥다다닥, 여름은 결혼식에 늦지 않으려고 지하철 계단을 쉴 틈 없이 오르고 있었다. 계속 울려대는 휴대전화 벨 소리에 마음만 더 조급해졌다. 우진의 전화인 듯했다. 가방에서 뒤적뒤적 휴대전화를 꺼내 귀에 댔다.

"어디야? 예식 시작 10분 전이야!"

여름이 바짝 말라붙은 입으로 대답했다.

"다 왔어. 3분, 3분 안에 가."

---

1) 이태리어로 Obbligato, 영어로는 Obligato에서 연유한 이름이다. 주로 결혼식에서 축가나 축하 연주할 때 사용한다.

여름은 사람들을 지나쳐 마침내 웨딩홀 문 앞에 다다르자 순간의 망설임도 없이 문을 왈칵 열어젖혔다. 피아노 앞에 서 있는 우진이 눈에 띄었다. 하객들은 원피스를 입은 여름이 등장하자 흘끗흘끗 쳐다봤다. 우진의 이리로 오라는 손짓이 없었다면 일 분이라도 허비했을 것이다. 그녀는 그에게 빠르게 걸어갔다. 우진의 따가운 시선을 뒤로하고 첼로를 꺼내 익숙하게 두 무릎 사이에 밀착시켰다. 그렇다. 여름은 오늘도 오브리를 뛰러 왔다.

식장에 'A Thousand Years' 곡이 은은히 울려 퍼졌다. 여름의 따뜻하고 차분한 첼로 선율이 신랑, 신부와 완벽한 조화를 이루었다. 그녀는 온종일 결혼식 객석에 앉아 다양한 곡들을 들어보곤 했다. 그만큼 연주에 진심을 기울였고 세심한 노력으로 수많은 결혼식을 더욱 특별하게 만들었다. 연주가 끝날 무렵 습관처럼 신랑, 신부를 바라보았다.

순간, 활을 켜던 손으로 입을 막을 뻔했다. 거기에는 다른 사람의 손을 잡고 환하게 미소 짓는 신랑, 태풍이 서 있었다. 화려한 슈트에 소년미 가득한 매력을 뽐내고서. 그녀는 숨고 싶었지만 고개를 하객 쪽으로 돌리는 수밖에 없었다. 의식 저편에서 태풍과 마지막으로 만났던 날이 떠올랐다.

3개월 전.

여름과 태풍은 밤 공원을 거닐고 있었다. 순간의 일은 아니었다. 여름은 어떤 이유에서인지 둘 사이에 균열이 일고 있다는 걸 알고 있었다. 그러나 태풍이 헤어지자고 할 줄은 예상하지 못했다. 그녀가 할 말을 잃었을 때, 그는 무덤덤한 표정으로 그녀가 흙수저라 결혼할 수 없다고 했다. 뒤에 무어라고 했지만 들리지 않았다. 다시 물어볼 수도 없었다.

여름은 그동안 자신이 어떻게 살아왔는지 떠올렸다. 태풍이 로스쿨 입학을 준비하던 중 생활비가 떨어졌다며 공부를 그만두어야겠다고 했다. 여름은 죽기 살기로 첼로 강습과 카페, 결혼식 아르바이트까지 하면서 생활비를 보탰다. 로스쿨 진학이 뜻대로 되지 않자 공무원쯤은 자신 있다며 노량진에 갔다. 그때도 기죽지 말라며 매달 용돈까지 줬었다. 그렇게 날마다 어떻게 하면 돈을 더 모을 수 있을까? 그 생각만 하며 7년을 버텼다.

그녀는 제 속의 무언가를 가까스로 누르며 말했다.

"겨우겨우 7년 뒷바라지해서 합격시켜 놨는데! 나 불쌍하지도 않아?!"

그는 전에 없던 격양된 목소리도 대꾸했다.

"이거 봐봐… 결국엔 너도 나 공무원 되니까 슬슬 보답받고 싶은 거 아냐?"

"보, 보답이 아니라 사랑한…."

그녀의 손등으로 굵은 눈물이 뚝 떨어졌다. 태풍의 눈빛에서 여름은 알 수 있었다. 이제는 깨끗이 쓸모없어졌다는 걸.

한동안은 아무것도 위로되지 않았다. 여름은 방안에 틀어박혀 자신을 무기력하게 만들었다. 어느 날은 화장실 바닥에 누워 타일의 차가움에 무감각해졌을 때 태풍의 결혼 소식을 듣게 됐다. 3개월 만에 그게 가능한 일일까, 순간 생각했다. 그 일이 있고 난 뒤 주변의 걱정을 살 만큼 일에만 몰두했고 일상을 찾아가는 듯했다.

그녀가 활을 움켜쥐자 그날의 이미지들이 사라졌다. 연주에만 집중하려고 애를 썼다. 틀에 박힌 주례사가 이어졌고 버텨야 했다. 그녀는 검은 원피스를 몇 번이고 양손으로 쓸어내렸다. 예식이 끝나고 우진과 바이올린 연주자가 식사 제안을 했지만 거절했다. 여름이 식장을 나왔을 때 밖은 비가 내리고 있었다.

삼색 고양이 인형 탈을 쓴 도하가 자신의 생일 광고판 앞에 서 있었다. 매니저가 앞에서 한 손에는 우산을 받쳐 들고 휴대전화로 도하를 촬영하고 있었다. 도하는 국내에서도 연예인의 연예인이었다. 한창 월드 투어 준비로 바쁜 가운데 잠깐 짬을 내 나온 것이었다. 도하즈[2]에게 감사 영상을 전해야 한다며 말이다.

그때 도하 옆으로 여름이 스쳐 지나갔다. 아니, 멈춰 섰다. 여름은 우산도 없이 땅바닥에 주저앉아 참았던 눈물을 터트렸다. 두 손에 얼굴을 묻고 서럽게 울었다. 그녀의 벨 소리가 배경음악처럼 울려 퍼졌다. 사람들이 그런 여름을 힐끔 쳐다보며 지나갔다. 매니저는 사람들이 의식됐는지 도하를 데리고 차로 돌아갔다. 도하가 돌

2) 도하의 팬덤명, '도하가 즈려밟고'라는 뜻

아봤지만 여름은 곧 시야에서 사라졌다. 도하가 뒷좌석에 올라타자 매니저는 차를 출발했다. 도하는 휴대전화 사진 앨범을 열어 방금 찍은 영상을 확인했다. 그녀가 함께 찍혔다.

그런데 낯이 익었다.

여름은 휴대전화를 무시하고 있었다. 계속 울려대는 휴대전화를 아예 꺼버릴 생각이었다. 빗물에 손이 미끈거려 통화버튼을 눌러버렸다. 태풍의 거친 목소리가 휴대전화 너머로 흘러나왔다. 그녀는 아무 말 하지 못했다. 맞는 말이었다. 언제나 돈 때문에 울고 오늘도 울고 있었다. 그놈의 돈 때문에 식장을 박차고 나올 수 없었다. 그래서 지금 이렇게 비참한 자신을 향해 울고 있는지도 모르겠다. 태풍은 하고 싶은 말을 다 토해내자 전화를 끊었다. 그녀는 숨이 막혔다. 그 고통을 견뎌내며 천천히 손을 벽에 가져다 댔다. 손바닥에 닿는 질감은 거칠었지만 안도감을 느꼈다. 그것도 잠시뿐. 곧 다시 찾아온 답답함에 깊은 한숨을 내쉬었다.

그런 그녀 앞에 아무 조건 없이 환하게 웃고 있는 영상 속 도하가 있었다. 콘서트 영상 클로즈업되며 도하가 말했다. "일상이 행복이에요. 가족, 친구, 동물과 일상을 함께하는 거. 같이 밥을 먹거나 소소하게 이야기를 나눌 수 있다던가요" 도하의 웃는 모습에 따듯한 온기가 느껴졌다. 도하에게서 전해지는 마음의 온도일 것 같았다. 그 편안하고 다정한 웃음을 한참 바라보았다. 도하의 영상이 사라질 때까지. 어느덧 격렬한 통증은 태풍이 소멸하듯 힘을 잃고 멀어져 갔다.

한순간에 그녀의 공간에 도하가 스며들었다.

둘. 해투[3] 저도 가능할까요?

일 층 스튜디오 앞, '도하 개인 사진 전시회' 안내문이 대문짝만하게 붙어 있었다. 디지털 광고판 옆으로 팬들이 일렬로 쭉 늘어서서 자신의 차례를 기다리고 있었다. 그 틈에 빨강 머리 한나도 서 있었다. 그때 문이 벌컥 열리자 한나가 안으로 달려 들어갔다. 그녀가 눈을 반짝이며 가장 큰 사진을 한동안 올려다보았다. 홈마[4]가 반가운 듯 인사했다.

"어, 오셨어요? 저번 무나[5] 때 무슨 일 있나 했어요?"

"KTX가 연착돼서 못 갔어요. 이거 저번 쇼케이스 때죠? 양도받아서 갔는데 완전 요정!"

"전 업자 아저씨한테 맡겨서 겨우 갔어요. 근데 해투 뜬다는 말 있던데?"

"아직 공지 뜬 건 없던데. 이거 살게요, 이거 주세요."

홈마가 당황하며 물었다.

---

3) 해외 투어의 줄임말

4) 홈페이지 마스터 줄임말, 아이돌의 출·퇴근길, 팬 사인회, 행사 사진을 찍어 올려주는 찍덕을 뜻함

5) 무료 나눔의 줄임말

"이거요? 이 큰 걸 광주까지 어떻게? 서울 근교는 배달해 드리는데… 진짜 사실 거예요?"

홈마의 걱정과 달리 한나는 경쾌하게 대답했다.

"깨지면 안 되니까. 택시 타는 것만 도와주세요."

홈마의 도움을 받아 택시를 타고 용산역으로 출발했다. 뒷좌석에 있는 커다란 액자가 잘 있는지 확인부터 했다. 안심이 되자 휴대전화를 집어 들었다. 소속사 공지에 해외 투어 일정이 방금 올라와 있었다. 들뜬 마음에 유림에게 전화를 걸었다. "여보세요?" 유림의 말이 채 들리기도 전에 한나가 말했다. "드디어 떴어! 떴어! 해투 패키지로 갈까, 개인으로 갈까? 그래도 개인이 낫겠지?"라며 행복한 고민 중이었다. 유림은 얼마 전 상해 콘서트를 다녀오고 재정이 마이너스라고 했다. 채팅방 사람들도 부담스러운 건 마찬가지라고.

하지만 해투 덕후인 한나가 이번 기회를 놓칠 리 없었다. 지난달 회사 업무 때문에 콘서트에 못 간 아쉬움이 아직도 남아있었기에 당연했다. 한나는 전화를 끊고 다시 고민에 빠졌다. 패키지는 그녀에게 어딘가 모르게 불편했다. 도하의 팬덤이 다 어려서일까, 언제부턴가 소외감을 느끼고 있었다.

'필리핀은 치안이 안 좋다던데. 같이 갈 사람을 어디서 구하지'

여름은 방에 들어오자마자 아무렇게나 툭 가방을 던져 놓았다. 여러 감정이 올라와서인지 창문을 확 열어젖혔다. 미지근한 바람이 들어왔다. 냉장고에서 시원한 맥주 캔을 꺼내 한 모금 마셨다. 의자에 앉아 노트북을 켰다. 검색창에 '도하'를 입력하자 맨 위에 '레전드 무대 영상'이 떴다. 빠르게 포스팅을 클릭하니 도하 아컨[6] 영상이 재생됐다. 어떻게 이렇게 귀여울 수 있을까, 눈도 깜빡이지 않은 채 화면을 응시했다.

도하가 팬이랑 눈을 맞추며 노래를 부르는 영상에서는 여러 번 놀랐다. 그의 얼굴에 한 번, 노래 실력에 두 번, 귀여운 미소에 세 번, 마지막으로 눈빛에 놀랐다. 와! 은혜로운 얼굴이다, 아… 아련 돋는다, 라고 마음속 말이 팝콘 터지듯 쏟아져나왔다. 영상을 기계처럼 계속해서 넘겨보았다. 블로그에 올라온 주접 글과 찬양 글도 차근차근 읽어나갔다.

그러다 여름은 네임드[7] 블로거인 한나의 블로그까지 오게 되었다. 특히, 한나의 해외 투어 후기가 흥미를 유발했다. 도하는 투어 준비로 당분간 국내에서는 볼 수 없었다. 아쉬운 마음에 새 글 알림을 설정하고 노트북 시계를 봤다. 새벽 3시가 훌쩍 넘어 있었다. 그녀는 침대에 눕자마자 이내 잠이 들었다.

맑게 갠 아침, 출근길 버스는 학생들과 직장인들로 꽉 차 있었다. 여름은 창에 기대어 꾸벅꾸벅 졸고 있었다. 휴대전화 울림에 순간 번뜩 잠에서 깼다. 블로그 알림이었다. '혹시 해외 투어 관심 있으신 분??'이란 제목이 눈에 들어왔다. 여름의 손가락이 저도 모

---

6) 아이컨택용

7) 온라인 게임, 커뮤니티, SNS 등 특정 분야에서 유명하거나 실력이 뛰어난 사람을 지칭

르게 움직였다. '저도 가능할까요?'라고 댓글을 달려는 순간 버스가 정류장에 멈췄다. 오늘 수업할 학교였다. 헐레벌떡 내려서 다시 확인하니 댓글이 달려 있었다.

"이제 나도 좀 벗어나자. 가자, 마닐라!"

여름은 그렇게 도하에 입덕하였다.

한나의 사무실은 광주북구청에서 길 하나만 건너면 되는 보건소 5층에 있었다. 한나는 보건행정과로 출근했다. 낮에는 부모님이 자랑스러워하는 공무원 딸이었지만 밤에는 도하 덕후로 활동하는 은밀한 취미를 가지고 있었다. 일찍 출근한 덕분에 사무실엔 아무도 없었다. 전날 비가 와서인지 사무실에 눅눅한 냄새가 배 있었다. 탕비실 창문을 열고 커피를 내렸다. 사무실로 커피 향이 번져 나올 때 다른 직원들도 하나둘 출근을 시작했다. 일찍 오는 사람이 당번처럼 커피를 내려놓으면 직원들은 익숙하게 커피를 마셨다. 한나의 책상에는 달리기 완주 사진이 놓여있었는데 그 앞에 둔 휴대전화에서 알림이 울렸다.

여름의 댓글이었다. 드디어 같이 갈 사람을 찾은 걸까, 한나는 바로 연락처를 주고받았다. 톡으로 연락을 주고받는 사이 어느새 점심시간이 되었다. 곧 떠나게 될 해외 투어 생각에 벌써부터 두근거렸다. 이 설렘 덕분인지 그날의 업무 능력은 어느 때보다 높았다. 퇴근 뒤 한나는 현지 대행사를 통해 콘서트 티켓을 구매했다. 이어서 항공, 호텔 예약까지 일사천리로 마쳤다. 여름에게 공유하자 마음이 설렘으로 부풀어 올랐다. 여름도 한나 못지않게 들뜬 모습이었다.

다음 날 아침, 한나는 연차 결재를 올리며 싱긋 웃었다.

셋. 도도솔솔라라솔

인천공항 제1터미널 동편 2번 출입구 앞. 여름은 약속 시간보다 십여 분 먼저 도착해 있었다. 짙은 농도의 새벽 공기가 유영하고 있었다. 계속해서 흘러내리는 캔버스백이 신경 쓰였다. 한 손으로 연신 캔버스백을 추켜올리길 몇 번 반복하니 한나가 도착했다. 그렇게 두 사람은 인천공항에서 처음 만났다. 첫 대면에 어색할 뻔했지만 도하라는 같은 사명으로 만났기에 친해지지 않을 수가 없었다. 그것도 불편한 자리에서 네 시간 넘게 붙어 있었으니까.

두 사람이 탄 비행기가 니노이 아키노 공항에 도착했다. 공항 곳곳에 총을 소지한 직원들이 눈에 띄었다. 낯선 분위기에 여름은 겁이 나기도 했다. 그런 여름의 마음을 알기라도 한 걸까, 한나도 마닐라는 처음이었으나 앞장서 갔다. 여름의 발걸음도 자연스럽게 그곳을 향했다. 두 사람이 밖으로 나서자마자 뜨끈한 공기가 얼굴을 스쳤다. 무덥고 끈적이며 텁텁하기까지 했다. 전형적인 마닐라 날씨였다. 택시들은 여기저기서 빵빵거렸고 호객 소리까지 더해져 어수선했다. 시장통이 따로 없었다. 여름은 더위에 적응을 못한 건지 여기저기를 돌아봤다. 한나는 예약한 택시가 들어오자 신나게 손을 흔들어댔다. 택시 기사가 작은 캐리어 두 개를 차 트렁크에 실었고 두 사람은 뒷좌석에 올라탔다.

드디어 공항을 벗어났다.

콘서트장에는 높이 설치된 사각형 메인 무대와 오각형의 돌출 무대, 이들을 잇는 스테이지가 자리하고 있었다. 한편에서는 스태프들이 무대 설치로 분주히 움직이고 있었다. 도하는 오전 연습을 마치고 무대에서 걸어 나오고 있었다. 땀으로 흠뻑 젖어 있었다.

매니저가 도하에게 바로 수건과 물을 건네며 말했다.

"도하야, 오프닝 의상에 문제가 생겼어."

도하가 물을 마시며 다음 말을 기다렸다.

"트와일라잇의 뱀파이어 콘셉트로 바뀔 거 같아."

"응, 알겠어요."

도하는 신경 쓰지 않는 눈치였다. 다만, '트와일라잇'이라는 단어가 귓가에 남아 맴돌았다. 여름이 떠올랐다.

초등학교 4학년 여름방학, 도하는 부모님의 만류에도 고집을 피워 할머니 댁에서 방학을 보냈었다. 할머니 집에는 할머니의 정원이 있었다. 언제부터인가 할머니는 텃밭에 꽃을 심었다. 손주가 좋아하는 영어 이름의 잉글리시 라벤더, 에키네시아부터 할머니의 취향으로 선택한 바위채송화, 난쟁이바위솔, 너도바람꽃 등 처음 심어보는 꽃들이 많았다. 구획을 나눈다고 나눴지만 섞여 자란 곳은 자연스레 피어났다. 할머니 집으로 가는 길이면 '오늘은 무슨 향이 날까' 기대할 정도였다. 부모님은 허락하는 대신 숙제를 내줬다. 피아노학원 가기, 음악에 관심 두기 시작한 때라 나쁘지 않은 제안이었다. 그리하여 등록한 음악 학원에서 평소라면 밥 먹듯이 익숙한 곡이 그날따라 실수가 잦았다. 재밌어지는 피아노가 뜻대로 안 돼 속이 상했다.

그때 도하의 마음을 이끄는 포근하고 느릿한 소리가 낮게 들려왔다. 소리를 따라가 보았다. 마치 엄마가 아기를 안고 어루만지듯 첼로를 안고 연주하는 고등학생 여름이 있었다. 도하는 첼리스트를 가까이서 보는 게 신기했다. 다음날도 그다음 날도 같은 시간, 여름이 오는지 두리번거렸다. 여름은 알고 있었다. 자신을 며칠 동안 바라보던 남자아이에게 말을 걸어 보기로 했다. 도하는 귀여운 얼굴을 띠고선 서울에서 학교에 다니고 있다고 했다. 방학이 끝나면 돌아가야 한다고.

그러면서 대뜸 '반짝반짝 작은 별'도 연주할 수 있냐고 물어봤다. 여름은 처음이었다. 자신에게 연주를 부탁한 사람이 없었다. 도도솔솔라라솔을 시작으로 한낮에 꿈을 꾸듯 장난치듯이 피아노 치는 도하, 같은 피아노 의자에 앉아 첼로를 연주하는 여름. 그렇게 두 사람은 소리로 추억을 쌓아갔다.

영화 트와일라잇이 개봉한 날이었다. 여름이 그토록 기다렸던 영화였다. 도하도 같이 보고 싶어 했지만 15세 청소년 관람가였다. 대신 여름은 영화를 보고 와서 'A Thousand Years' 곡에 관해 말해주었다. 천년을 기다렸고 천년을 더 사랑할 거라는 고백이 마음에 들었다고 했다. 여름은 악보를 구매해서 몰래 연습했다. 평소 클래식 곡은 완곡하는 데 넉넉잡아 일주일이 걸렸지만 이 곡은 하루 만에 가능했다. 여름도 이렇게나 빨리 도하에게 들려줄 수 있을 거라고는 생각지 못했다. 여름이 연주를 시작하자 그곳의 공기가 첼로의 음률로 채워졌다. 도하는 시선을 뗄 수 없었다. 심장이 쿵. 점점 빨라지는 선율에 도하의 마음도 같이 진동했다.

여름밤이 짧아지며 도하는 작별 인사를 해야 했다. 여름은 어느 날부터 첼로 가방에 무언가를 가지고 다녔었는데 지금을 기다린 것 같았다. '트와일라잇 OST' CD였다. 여름이 도하에게 연주해 준 곡이기도 했다. "꼭 들어봐"하고 도하의 손을 꼭 잡았다. 집으로 돌아가는 길, 도하는 아빠에게 CD를 틀어달라고 했다. 열다섯 곡이 차곡차곡 차 안에 흐르는 동안, 도하의 마음속에는 여름과의 행복했던 순간들이 일렁였다.

이십여 분이 지났을까. 번잡했던 차창 밖 풍경이 조용해졌다. 여름과 한나가 탄 택시가 인적이 드문 도로로 유유히 들어가고 있었다. 이상함을 직감했다. 여름은 주위를 돌아보고 곧장 구글 지도를 켰다. 호텔로 가야 할 택시가 시내와 반대 방향이라니.

"한나야, 이상해."

여름이 속삭였다.

뒷좌석 왼쪽 자리에 앉아 있던 여름은 택시 기사에게 호텔로 가는 게 맞는지 물어보았다. 그러나 선글라스를 껴서인지 표정을 알 수 없는 기사는 오케이라고 손짓만 할 뿐, 아무런 대꾸를 하지 않았다. 젠장, 뭔가 잘못됐다. 떨리는 손으로 한나에게 톡을 보냈다. 한나는 필리핀 치안이 안 좋다는 건 알고 있었지만 막상 현실로 닥치니 덜컥 겁이 났다. '어떻게 해야 하지' 잠깐 사이 두 사람의 머릿속은 아주 복잡해졌다.

여름의 계획은 간단했다. 차가 멈추면 무조건 달리자고, 그래야 살 수 있다고 했다. 여름이 한나를 툭 쳤다. 한나는 정신을 차리고 고개를 끄덕였다. 이제 여권과 지갑만 확인하면 되는데 지갑을 캐리어에 넣어둔 게 문제였다. '여권, 여권은 어딨더라' 당황하니 생각이 멈춘 것 같았다. 다행히 여권은 있었다. 공항에서 한나와 마찬가지로 여권을 바지 주머니에 깊게 꽂아 넣길 잘했다 싶었다. 한나의 손에는 휴대전화만 들려있었다. 택시 안의 적막함은 에어컨이 윙윙 돌아가는 소리로 채워졌다. 바로 그때였다. 택시가 정지신호에 멈췄고 여름이 턱으로 신호를 보냈다.

두 사람은 동시에 문을 열고 냅다 뛰었다.

넷. 태풍주의보

숨이 턱 막히는 한낮, 마닐라 84번 국도 한복판에서 택시 기사가 여름을 뒤쫓고 있었다. 여름은 전력을 다해 도망치고 있었다. 바로 앞에서 한나도 달리고 있었다. 여름이 숨이 차고 다리에 힘이 풀려갈 때 턱밑까지 추격해 왔다.

“더… 더는 못 뛰겠어.”

여름이 헐떡거리며 말했다.

그 순간 기사가 여름의 캔버스백을 확 낚아챘다. 그녀가 중심을 잃고 뒤로 넘어갔다. 휴대전화와 소지품은 땅바닥에 나뒹굴어졌다. 기사는 쓰러진 여름의 머리채를 휘어잡아 당겼다. 그녀는 낚싯바늘에 걸린 물고기처럼 필사적으로 몸부림쳤다. 끝없는 절망으로 들어가는 듯했다.

그때였다. 한나가 달리기를 멈추고 여름을 돌아봤다. 눈에서 불꽃이 튀었다. “여름아!” 타다닥, 도움닫기로 가볍게 날아서 기사 얼굴에 발차기를 날렸다. 체중을 모두 실어서. 기사는 얼굴을 정통으로 맞고 비명을 지르며 쓰러졌다. 한나도 바닥으로 넘어졌지만 바로 벌떡 일어났다.

“빨리 가자!”

한나가 여름의 손을 잡아 일으켰다.

여름은 안도의 한숨을 내쉬었다. 하지만 안도감도 잠시. 택시 기사가 비틀비틀 일어서며 여름의 휴대전화를 밟아 박살 냈다. 여름은 무언가 결심한 듯 성큼성큼 빠르게 다가갔다. 그리고 있는 힘껏 정강이를 걷어찼다. 기사는 다리를 움켜쥐고 뒤로 고꾸라졌다. 순식간에 몇 가지 일이 벌어졌다. 두 사람은 숨 고를 틈도 없이 도망쳤고 택시 기사는 시야에서 점점 멀어졌다.

이십여 분을 걷다 보니 두 사람은 도로를 벗어나 마을 길에 들어섰다. 거짓말처럼 십자가가 눈에 들어왔다. 붉은빛을 따라가 보니 낡은 벽돌로 단조로운 이층 짜리 교회 건물이 있었다. 교회는 문이 열려있었다. 입구에는 야자수와 소나무가 어우러져 있었다. 몇 개의 창문이 깨져있는 걸 제외하면 마당은 깨끗하게 정리돼 있었다. 여름과 한나가 교회 안으로 조심스레 들어갔다. 천천히 마당을 지나며 주위를 둘러봤는데 인기척은 없었다. 두 사람은 지쳐서 야자수 아래에 털썩 앉았다. 흔들흔들, 야자수 잎사귀 사이로 뜨끈한 습기를 머금은 바람이 불어왔다. 끈끈한 소나무 냄새도 풍겼다.

여름은 혼자 생각할 시간이 필요했다. 오늘 일어난 일을 정리하고 나아갈 시간이. 다, 다, 다. 건물 뒤쪽 어딘가에서 소리가 났다. 여름은 그쪽으로 다가가 보았다. 거기엔 흰색 개가 땅에 발을 구르며 짖고 있었다. 묶여있는지 다가오지는 않았다. 다행이다 싶을 때 건물 안에서 현지인으로 보이는 20대 여자가 걸어 나왔다. 여자는 놀라며 두 사람을 유심히 살펴보았다. 여름도 꿈인지 생시인지 한나를 쳐다봤다. 한나가 소리쳤다.

"살았다. 살았어!"

여자는 걱정스러운 표정으로 괜찮냐고 물었다. 여름은 괜찮다고 말하고 나서야 낯선 이곳에서 방금 한국말을 들었다는 걸 깨달았다. 한나는 긴장이 풀렸는지 사정을 얘기하며 도와달라고 부탁했다. 플리즈, 플리즈! 두 사람의 간절한 영어가 허공을 마구 뛰어 다녔다.

조이라고 했다. 조이는 자신을 교회 직원이라고 소개했다. 며칠 전 '야기' 태풍이 마닐라를 강타해 교회를 수리 중이라고 했다. 학교도 휴교령이 내려졌고 마을 전체가 정전과 통신 두절을 겪고 있다고 했다.

여름이 물었다.

"휴대전화는 되나요?"

조이가 주머니에서 휴대전화를 꺼내 여름에게 내밀었다. 덧붙여 말하길.

"대사관은 주말에 쉬어요. 태풍 때문에 관공서도 업무가 멈췄어요."

여름은 알고 있는 유일한 번호를 눌렀다. 엄마였다. 한국에 있는 엄마는 보이스피싱 교육을 철저하게 받은 탓에 낯선 해외번호를 무시해 버렸다. 여름은 망설임 끝에 다른 번호를 눌렀다. 전화를 받은 사람은 다름 아닌 태풍이었다. 호텔 수영장 선베드에서 한가로이 시간을 보내던 그는, 날 선 목소리로 쏘아붙였다. 여름의 설명을 들어볼 생각도 않고 그녀를 스토커 취급하며 전화를 끊어버렸다. 한나도 상황은 마찬가지였다. 소리샘으로 넘어가고 아무도 받지 않았다. 두 사람을 지켜보던 조이가 어쩔 수 없다는 듯 한국인 목사님과 통화를 하고 왔다.

"직원이 유리창을 가지러 시내로 가요. 두 사람을 내려줄 수 있어요."

여름의 목소리에 다시 생기가 돌았다.

“콘서트장에 데려다주실 수 있나요?”

조이가 고개를 끄덕이며 알겠다고 했다.

지갑도 없고 여권만 달랑 있으니 오십만 원짜리 콘서트 표라도 팔아서 한국으로 돌아갈 생각이었다. 한나도 수긍했다. 두 사람은 조이가 주는 시원한 물과 빵으로 맹렬한 갈증과 허기를 달랠 수 있었다.

다섯. 트와일라잇

출발을 앞둔 여름과 한나가 조이를 번갈아 꼭 껴안으며 고마움을 표현했다. 두 사람은 조수석에 딱 붙어 앉았다. 트럭은 마을을 빠져나와 도로를 가로질러 달렸다. 두 사람은 간신히 콘서트장에 도착했다. 그들의 고난은 여기서 끝나지 않았다. 콘서트장에는 커다란 현수막, 전광판 광고가 눈에 띄게 걸려 있었고 입구에는 이미 와있는 팬들로 북적였다. 여름은 이제 콘서트 티켓만 되팔면 됐다. 바로 티켓 수령처로 가서 여권을 보여주고 무사히 티켓을 받아왔다. 여름은 주변을 둘러보며 버려진 종이를 찾았다. 뭔가 적을 게 필요했기 때문이었다. 한나가 수령처에서 펜을 빌려와 종이에 또박또박 글자를 써 내려갔다. ‘W 201구역 1열 반값, 현금 거래’ 다행히 티켓이 메인 무대 앞줄이었기에 승산이 있다고 생각했다. 콘서트장 주변에서 여름이 종이를 흔들며 외쳤다.

"티켓 반값에 팝니다!"

그때, 예상치 못한 사람들이 여름과 한나를 발견했다. 무리에서 남자 둘이 불만스러운 표정으로 여름에게 다가왔다. 그들은 여름을 거칠게 돌려세우고 그녀의 팔을 붙잡아 정문 밖으로 끌고 갔다. 여름은 이건 또 무슨 상황이지, 당황한 기색이었고 한나는 이내 상황을 알아차렸다. 도로 주변을 메우고 있는 암표상의 팻말이 보였다. 두 사람은 몰랐지만 거리에는 팬들만 몰려있는 게 아니었다. 암표상들이 티켓을, 웃돈을 얹어 팔고 있었다. 해외 콘서트 표는 현지 사람이 아니면 비싸게 살 수밖에 없었다. 한나도 현지에서 암표를 사서 들어갔던 적이 있었기에 알고는 있었다.

두 남자는 너희 나라로 꺼져! 하고 욕설을 퍼부었다. 장사에 방해가 된다며 여름과 한나와 실랑이가 벌어졌다. 두 사람은 상황을 피하려고 했지만 그들이 언성이 높아지며 여름을 도로 쪽으로 밀쳤다.

하얀 밴이 끼익 멈춰 섰고 여름이 도로에 풀썩 쓰러졌다. 한 남자가 운전석에서 내렸다. 도하의 매니저였다. 도하가 감기 기운이 있어 숙소에서 링거를 맞고 급하게 돌아오는 길이었다. 매니저가 물었다.

"괜찮으세요?"

여름은 순간 정신을 차렸다.

차에 치인 줄 알았는데 다행히 차가 스쳐 지나갔다. 하지만 바닥에 넘어질 때 도로에 쓸리면서 팔꿈치와 무릎에서 피가 흐르고 있었다. 한나도 놀랐지만 내색할 틈도 없이 여름을 부축했다. 매니저가 여름의 무릎으로 시선을 보내며 차에서 수건을 가져와 건넸다. 그 사이 뒷좌석을 돌아봤는데 도하는 잠들어있었다.

"이건 제 명함이에요. 혹시 모르니 가지고 계세요."

매니저는 병원에 데려가고 싶었으나 날이 저물어 병원문을 닫을 시간이었다. 내일이라도 치료받고 연락을 달라고 했다. 여름이 아무 말 없이 고개만 흔들자 그러면 한국에 돌아가서라도 연락을 주라고 했다. 여름은 얼떨결에 명함을 받긴 했지만 대신 부탁이 있다고 했다. 자신들이 예약한 호텔에 데려다 달라고, 그거면 된다고 했다. 여름은 죽을 뻔한 상황에 놀랐지만 오늘 겪은 일에 비하면 견딜 만하다고 생각했다. 그저 한국으로 무사히 돌아가고 싶은 마음뿐이었다. 매니저는 콘서트 시간이 다가오자 조급한 마음에 택시비를 건네려 했다.

"아니요, 택시는 안 돼요!"

한나가 외쳤다. 한나는 어쩔 수 없이 오늘 일을 사실대로 털어놓았다.

매니저는 놀란 표정이었다.

"그러면… 콘서트 후에 제가 직접 모셔다드리는 건 어떨까요?"

"정말요? 좋아요!"

"콘서트장 안에 의료팀이 있어요. 간단한 응급 처치는 가능하니까… 제 명함 있죠. 그거 보여주시면 돼요."

"명함이요?"

"네, 지금 전화로 사정 얘기해 놓을게요."

여름은 고맙다며 알겠다고 답했다. 콘서트 후 티켓 수령처에서 매니저와 만나기로 했다. 그때 입장을 알리는 스태프 음성이 들려왔다. 여름과 한나가 매니저에게 다시 한번 감사 인사를 했다. 그렇게 두 사람은 콘서트를 볼 수 있게 되었다. 밴에 도하가 있는 줄도 모르고 도하를 빨리 만나고 싶은 마음에 달려 들어갔다. 여름이 좌석에서 무대를 바라보니 메인 무대와 삼 미터도 안 되는 거리였다. 도하와 같은 공간에 있다니 꿈만 같았다.

무대 위로 형형색색의 조명이 쏟아졌다. 거대한 LED에서 도하의 영상이 상영되며 'A Thousand Years' 곡이 콘서트홀 전체를 에워쌌다. 도하는 "오늘을 기다렸습니다. 오늘 더 사랑할 준비되셨나요?"라는 내레이션과 함께 등장했다. 그가 천천히 걸어 나왔고 뱀파이어 그 자체였다. 여름은 움직일 수가 없었다. 아무 말도 나오지 않았다. 지금, 이 순간의 일처럼 기억과 감각이 생생하게 되살아났다.

토요일 한낮, 여름은 마을버스를 타고 서준이 알려준 정류장에서 내렸다. 왼쪽으로 난 시골길을 따라가다 보니 한옥의 돌담이 눈에 들어왔다. 서준이 할머니와 연주를 보고 싶다고 졸라댄 결과였다. 서준은 할머니에게 여름을 소개했다. 할머니는 더운데 오느라

고생했다며 직접 키운 토마토를 갈아 주셨다. 달콤한 토마토주스를 마시고 그녀의 시선이 멈춘 곳은 대청마루였다. 마루 위에는 포도 넝쿨이 커다란 이불보처럼 촘촘히 연결돼 그늘이 드리워져 있었다. 그 아래에 의자와 악보 대가 놓여있었다. 여름은 첫 야외 공연이었고 서준과 할머니는 첫 관객이 되었다. 꽃밭을 둘러싼 할머니 집 전체에 첼로의 음률이 짙게 퍼지기 시작했다. 넝쿨 사이로 넘실대는 빛의 움직임처럼 여름도 반짝반짝 빛이 나고 있었다.

여름은 이토록 순수하고 행복했던 순간을 떠올리는 것만으로 가슴이 벅차올랐다.

한나의 외침과 팬들의 함성이 콘서트장을 흔들었다. 도하의 아름다운 얼굴, 흑색 눈동자의 두 눈, 지금껏 본적 없는 완벽한 도하였다. 여름은 한동안 도하를 빤히 올려다보았다. 배경음악이 멈추고 동시에 연주가 시작됐다. 도하의 목소리가 공연장 가득 울려 퍼졌다. 도하의 대표곡으로 수만 명의 팬들이 떼창을 시작했고 도하도 함께 호흡했다. 여름도 이제는 스트레스를 날려버리려는 듯 열창하며 노래를 따라 불렀다.

세 시간 정도가 지나자 콘서트가 막바지로 접어들었다. 앵콜 무대를 끝으로 팬들이 우르르 밀려 나오고 있었다. 여름과 한나는 약속대로 매니저의 차를 타고 호텔로 향했다. 두 사람은 차창에 스치는 야경을 보았다. 마닐라의 밤은 한국보다 짧게 느껴졌다. 우연인지 도하와 같은 소여 호텔이었다. 공항에서 이십 분 거리에 있는. 매니저는 짧은 대화 속에 두 사람의 출국 시간이 도하와 비슷하다는 사실을 알게 됐다.

"그러면 내일 공항까지 함께 가는 건 어떨까요?"

매니저가 제안했다.

여름과 한나는 기쁘게 동의했다. 호텔에 도착한 뒤, 그들은 내일 오전 11시에 로비에서 보기로 하고 헤어졌다.

방에 들어선 두 사람은 너 나 할 것 없이 곧바로 침대에 널브러졌다. 피로가 한꺼번에 몰려왔다. "먼저, 씻어" 한나가 낮게 말했다. 여름은 조금 쉬었다 욕실로 향했다. 따뜻한 물에 몸을 담가 하루의 피로를 풀었다. 이어서 샤샤샤, 샤워기의 물줄기가 타일로 향하는 소리가 들려왔다. 한나는 그새 잠이 들어버렸다. 샤워를 마치고 나온 여름의 귀에 전화벨 소리가 들렸다. '누구지?' 의아해하며 전화를 받았다.

"여보세요?"

"안녕하세요? 저… 도하에요."

여름은 그의 목소리에 가슴이 고동쳤다.

"여보세요? 팬분이시라고. 얘기 들었어요. 들리세요?"

"아, 네 드, 들려요."

여름은 '악' 소리칠 뻔했지만 수화기를 더 꽉 움켜쥐었다.

"저… 혹시 내일 점심 같이 하는 건 어떠세요?"

여름은 놀라서 갈라진 목소리가 흘러나왔다.

"네, 좋아요!"

"내일 11시에 로비에서 봬요. 편안한 밤 보내시고요."

도하도요, 하고 전화를 끊은 여름이 흥분을 감추지 못하고 방 안을 뛰어다녔다. 그 소리에 한나가 잠에서 깨어났다. 무슨 일이야, 한나가 눈을 비비며 물었다. 여름이 방금 있었던 일을 말하자 한나는 처음엔 믿지 못했다. 좋아서 방방 뛰는 여름을 보고 나서야 함께 소리쳤다. 그날 밤, 두 사람은 설렘과 기대로 좀처럼 잠들지 못했다. 내일은 어떤 일이 기다리고 있을지, 그들은 상상조차 할 수 없었다.

삼십 분 전, 도하는 호텔에 도착했다. 매니저를 통해 좀 전에 일어난 일에 대해 듣게 됐다. 여름과 한나가 오늘 겪었던 험난한 일들에 대해서도. 매니저는 한국에 가서 보상하자고 했지만 도하는 생각이 달랐다. 도하는 마음이 쓰였다. 자신을 보러 와서 고생한 팬들이 가여웠다. 빠듯한 일정 때문에 할 수 있는 게 제한되었고 문득 떠오른 게 있었다. 같이 밥을 먹는 거였다. 대신 매니저도 동행한다는 조건으로 여름에게 직접 전화를 걸 수 있었다.

소동을 겪은 뒤 여름은 허기가 졌다. 저녁도 걸러서 배가 꼬르륵거렸다. 침대에서 빠져나와 주변을 두리번거렸다. 테이블 위에 웰컴 푸드로 보이는 스낵 몇 종류가 눈에 들어왔다. 코코넛 스낵을 집어 소파에 몸을 기댔다. 눈꺼풀은 무거웠지만 창밖 풍경이 여름의 시선을 끌어당겼다. 깜깜한 하늘에 관람차 홀로 빛을 내며 움직이고 있었다. 마치 밤하늘의 별들이 천천히 춤을 추는 것 같았다. 고단한 하루를 보낸 이들에게 응원을 보내듯. 소파에 더 깊숙이 몸을 묻었다. 한나가 했던 말이 떠올랐다. 일몰 시각에 대관람차 뷰를 꼭 봐야 한다고, 여름은 그러면 타보자고 답했던. 관람차는 계속해서 천천히, 아주 천천히 돌아갔고 여름도 서서히 잠에 빠져들었다.

여섯. 한여름 밤의 꿈

다음날, 여름은 잠을 푹 자서인지 몸이 제법 가쁘게 움직였다. 창문 커튼을 젖히고 밖을 내다보았다. 밤에는 보이지 않던 호텔 앞 공원이 눈에 들어왔다. 잠깐 바람을 쐬고 올까 싶었다. 한나가 아직 잠든 걸 보고 여름은 문을 나섰다. 호텔 로비를 나오니 두 개의 수영장이 보였다. 야자수에 둘러싸여 해외 느낌이 물씬 났다. 이른 시간임에도 사람들이 제법 있었고 그곳을 지나 산책길로 발걸음을 옮겼다. 산책로에는 총천연색의 이름 모를 꽃들이 잘 관리되어 자라고 있었다. 마닐라의 여름 냄새도 났다. 벤치에 앉아 한동안 하늘을 올려다보았다. 날이 너무 좋아서 꼭 무슨 일이 날 것만 같았다.

여름과 한나가 체크아웃 10분 전, 로비에 내려갔다. 도하와 매니저는 이미 그들을 기다리고 있었다. 도하는 마스크를 낀 채 모자를 푹 눌러쓰고 있었지만 단번에 알아볼 수 있었다. 도하가 시야에서 점점 가까워지며 여름은 심장이 덜컹거렸다. 체크아웃을 마치고 돌아섰을 때, 도하가 이미 두 사람 앞에 와 있었다. 여름은 숨이 멎는 줄 알았다.

"호텔 건너편에 프랑스 요리 전문점을 예약해 뒀어요."

도하가 말했다.

여름은 아침에 혼자 걸었던 공원을 지금 도하와 함께 걷고 있다는 게 믿기지 않았다. 그 순간을 더 만끽하고 싶었으나 어느새 그들은 식당 앞에 도착했다.

깔끔한 실내 장식의 고급스러운 분위기가 그들을 맞이했다. 통창으로 이루어진 4인용 창가 자리로 직원이 네 사람을 안내했다. 창밖은 아까 오면서 봤던 나무가 바람에 휘청이고 있었다. 도하가 여름의 맞은편에 앉았다. 테이블에 앉자 여름은 천천히 고개를 들어 도하를 바라보았다. 도하는 순간적으로 떠올랐다. '트와일라잇, 한여름!' 도하는 여름이 자신을 기억하는지 궁금했다. 바로 모자와 마스크를 벗었다. 그의 기대와 달리 여름은 너무 긴장한 나머지 들고 있던 잔을 툭 떨어뜨리고 말았다. 물이 여름의 무릎 위로 쏟아졌다. 당황한 여름은 화장실에 다녀오겠다며 자리를 벗어났다.

도하는 분위기를 바꾸기 위해 한나에게 어제 콘서트에 관해 물었다. 한나는 신이 나서 콘서트 이야기를 주저리주저리 늘어놓았다. 덕분에 어색한 분위기가 사그라들었다. 여름이 돌아와 자리에 앉자 식사가 시작되었다. 요리를 먹으면서도 한나의 열정적인 이야기는 계속됐다.

도하는 한나의 말을 듣고 있었지만 동시에 여름이 궁금했다. 어떻게 지냈는지, 나를 왜 기억 못 하는지 많은 것들이 궁금했다. 결국 그가 물었다.

"여름 씨는 저한테 궁금한 게 없으세요? 왜 한마디도 물어보지 않으세요?"

정면으로 날아든 질문에 여름은 당황해서 "없어요"가 튀어나왔다.

직원이 우아한 걸음으로 테이블에 다가왔다.

"디저트로 레몬 글라세 마들렌을 준비했습니다."

직원이 내려놓은 마들렌에서 따뜻한 버터 향과 상큼한 시트러스 향이 퍼져 나왔다. 우윳빛이 감도는 하얀 레몬 글라세가 얇게 발라져 살짝 설탕 향이 배어 나왔다. 마들렌 쿠키 이벤트를 소개하며 마들렌 속에 행운의 번호가 들어있다고 했다. '프랑스 전통 과자와 포춘쿠키의 컬래버라니' 여름은 재미있는 이벤트라 생각했다. 한나가 먼저 반으로 갈랐다. 한나가 5번, 매니저가 4번, 도하가 3번이 나왔다. 마지막으로 여름이 마들렌을 한입 베어 물자 바삭한 겉면이 부서지며 1번 쪽지가 모습을 드러냈다. 직원이 여름을 제외한 세 사람에게 식당 10% 할인쿠폰을 건넸다. 여름에게는 축하의 말과 함께 '대관람차 VIP 1+1 입장권'을 전달했다.

"대관람차? VIP?"

여름이 어리둥절 하자 직원이 친절히 설명해 줬다.

"전면이 통유리로 된 특별 좌석이에요. 탑승 시간이 정해져 있죠. 한 사람과 특별한 추억을 만들어보세요."

여름은 직원의 권유에 망설였다. 그때 도하가 관람차를 타고 싶다고 말하자 매니저는 잠시 고민하다 일정상 괜찮을 것 같다며 동의했다. 여름의 얼굴에는 빙긋이 미소가 돌았다.

가는 길에 한나가 여름에게 물었다.

"누구랑 탈 거야?"

여름은 입술을 달싹이더니 "도하"라고 대답했다.

그렇게 여름은 어젯밤 보았던 대관람차 앞에 도착했다.

한 칸에는 도하와 여름이, 다른 칸에는 한나와 매니저가 탑승했다. 관람차는 생각보다 좁았고 무릎이 살짝 닿을 정도였다. 여름의 심장 소리가 들릴 만큼 가까웠다. 관람차가 천천히 움직이기 시작했다. 여름은 창밖으로 시선을 돌렸지만 도하가 그런 여름을 유심히 바라보더니 먼저 말을 꺼냈다.

"누나… 저 기억 안 나요?"

여름은 '누나'라는 말에 눈이 더 커져서 도하를 바라봤다.

"반짝반짝 작은 별, 서준이에요."

"서준이? 네가 서준이라고?"

음악 학원의 기억이 그녀의 머릿속을 휩쓸고 지나갔다. 그때 첼로 연습하는 걸 몰래 엿듣곤 했는데, 누나 연주가 너무 멋있어서 매일 듣고 싶었어요, 라고 도하가 말했다. 여름은 도하에게서 어린 시절의 장난꾸러기 미소를 발견했다. 그 순간 아이돌이란 사실도 잊은 채, 속마음이 터져 나왔다. 정말? 그때 넌 너무 귀여웠어, 라고 바보 같은 대답을 하고 말았다.

도하가 살짝 부끄러운 듯 웃으며 말했다.

"사실… 가수 꿈이 생긴 것도 여름방학이 시작이었어요. 노래를 듣는 것도 부르는 것도 그때부터 좋아하게 됐어요."

도하는 한결같았다. 어릴 적 음악을 배우겠다고 했고 정말로 가수가 됐다. 여름은 그 시작에 자신이 있다는 게 신기했다. 관람차가 정상에 도달하자 여름은 살짝 겁이 났다. 통창 너머로 마닐라의 전경이 한눈에 들어왔다. 도하가 여름에게 손을 내밀었다. 그러곤 이거 받아요, 하고 다정하게 말을 이어갔다. 그가 내민 건 자신의 연락처가 적힌 쪽지였다.

"한국 가서 연락해요. 꼭."

여름은 잠시 머뭇거리다 고개를 끄덕였다. 두 사람의 대화는 자연스레 어린 시절의 추억을 관통하며 이어졌다. 차분히 서로의 목소리에 귀를 기울이며. 관람차는 천천히 내려갔고 여름의 마음은 좀처럼 가라앉지 않았다.

마닐라 공항에 도착했다. 국제선 청사로 들어서니 사람들이 잔뜩 몰려있었다. 기자들과 플래카드를 든 팬들이 도하의 출국을 기다리고 있었다. 매니저는 조심스러울 수밖에 없었고 그들은 멀찍이 떨어진 곳에서 인사를 해야 했다. 도하가 눈을 맞추고 가볍게 포옹 인사를 했다. 한나는 눈물을 훔치기도 했다. 여름을 안았을 때 도하가 귓가에 대고 조그맣게 속삭였다.

"누나, 보고 싶었어요. 한국에서 봐요."

여름도 아쉬움을 뒤로한 채 작별 인사를 했다. 여름의 인사에 여러 의미가 담겨 있다는 걸 알았을까. 마닐라에서의 1박 2일이었지만 콘서트를 볼 수 있었던 것, 프랑스 요리를 같이 먹게 된 것, 함께 관람차를 탄 덕분에 여름은 마닐라의 모험에서 살아남을 수 있었다고. 한여름 밤의 꿈같던 마닐라에서의 시간이 두 사람이 한국행 비행기에 오르며 마무리 되어갔다.

일곱. 여름의 시간

한 달이 지났다.

푸른 하루에 청명한 오후였다. 여름은 오늘도 달리고 있었다. 방과 후 수업에 늦지 않으려고 뛰고 있었다. 횡단보도에 멈춰 섰을 때 뭔가 생각난 듯 첼로 가방을 뒤적였다. 손에 들려 나온 건 도하의 쪽지였다. 관람차 이후 처음이었다. 누군가는 왜 연락하지 않았냐고 답답해할 수도 있었다. 여름은 해야 할 일이 있었다. 도하는 그다음 문제였다. 여름은 지금 자신에게 아이돌과의 재회가 어울리지 않는다고 생각했다. 자신을 찾는 게 먼저였으니까. 잠시 쪽지에 떨어뜨렸던 시선을 거두고 학교로 발걸음을 옮겼다.

방과 후 교실, 에어컨이 고장 나 교실 안은 가만히 있어도 끈적였다. 창문을 열고 신선한 공기를 불러들였다.

"여름 선생님, 이 부분이 이상해요."

열 살 강이가 머리를 긁적였다.

"어디 보자."

여름은 미소 지으며 학생 옆으로 다가갔다. 이 부분은 활을 이렇게 써야 해, 라며 첼로를 잡아 천천히 시범을 보였다.

"와, 정말 멋져요! 선생님, 반짝반짝 작은 별도 연주해 주세요."

순간, 강이의 모습 위로 자신에게 처음으로 연주를 부탁하던 남자아이, 예전의 도하 모습이 겹쳤다. 여름은 강이에게 알겠다는 듯 눈짓을 보내고 곧바로 활을 들어 올렸다. 교실 안 일곱 쌍의 눈동자가 여름의 손으로 향했다. 손가락이 첫 음을 누르자 마닐라에서의 기억이 음표가 되어 흘러나왔다. 강이를 비롯한 아이들의 호응에 여름은 현실로 돌아왔다. 그러고도 선뜻 마음 한편에 자리 잡은 도하와의 추억이 사라지지 않았다.

집으로 돌아가는 버스 안, 여름이 귀에 이어폰을 꽂았다. 도하의 새 앨범 수록곡이 흘러나왔다. 듣고 있으면 햇살 조각들이 손에 닿을 듯 말 듯 아련하게 느껴졌다. 차창 밖 너른 하늘을 보면서 생각에 잠겼다. 조금 이른 저녁 시간이었지만 하늘에 이미 노을이 다홍 물처럼 퍼져 나갔다. 순간, 그 위에 무언가를 그리고 싶은 충동이 일었다. 가방을 열어 악보 노트를 꺼냈다. 노트를 무릎에 펼치고 연필을 움직이며 여름은 작은 소리로 노래를 불렀다. '이끌림'이었다. 버스의 진동도 주변의 소음도 느끼지 못한 채 오로지 악보를 그리는 데 몰두했다. 집에 도착해서도 시간 가는 줄 모르고 편곡에만 집중했다. 여름은 이 시간이 좋았다. 책상 위 휴대전화 진동을 느끼고서야 작업을 잠시 멈췄다.

'도하 보러 간다!'

아니나 다를까 한나였다. 여름은 오늘이 도하의 사전 녹화일이라는 걸 새삼 깨달았다. '파이팅'에 웃는 이모티콘을 덧붙여 메시지를 보냈다. 새벽녘, 맑고 차가운 공기가 그녀의 손끝을 스칠 때 악보를 완성했다. 음악은 정말 마법 같다고 누군가 말했을까, 내일 학생들에게 들려줄 생각에 예고 없이 여름의 심장이 두근두근 뛰었다.

한나의 시간은 느리게 흘러갔다.

새벽 여섯 시, 상암동 MBC 공개방송 홀 앞. 한나는 다리가 아파오는 것도 잊은 채 줄을 서 있었다. 이틀 전, 음악 중심 사녹[8] 신청한 게 당첨됐다. 24시 카페에서 시간 맞춰 나온다고 나왔는데도 기다림은 계속됐다.

8) 사전녹화방송의 줄임말

"저… 키링 떨어졌어요."

뒤에서 누가 말을 걸었다. 돌아보니 어린 팬의 손에 '굿즈 키링'이 대롱대롱 매달려 있었다.

"고마워요, 집에 가서 울 뻔했네요."

한나가 키링을 백팩 앞쪽에 단단히 달았다. 그러곤 나름의 고마움 표시로 초콜릿을 건네자 어린 팬이 말을 이었다.

"저는 새벽 5시에 택시 타고 왔는데 언니는요?"

"어제저녁 10시부터요."

주변에서 대박 역시 도하즈, 라며 놀람의 눈빛을 보냈다. 한나가 아이돌 덕질의 끝은 바닥이래요, 라고 말하자 곳곳에서 웃음이 터져 나왔다. 긴 대기 줄에 팬들과 서로의 추억을 공유하며 시간을 보냈다. 인원 체크 시간이 다가오자 줄 앞쪽에서 술렁임이 일었다.

"팔찌 배부 시작한대!"

팬 매니저가 신분증과 얼굴을 대조하고 당첨 화면을 확인했다. 그 뒤로도 2, 3차 본인확인을 끝내고서야 방송국 직원이 문을 열었다. 입장을 허락한다는 신호였다. 팬들은 조금이라도 가까이서 보려고 한꺼번에 몰려 들어갔다. 한나는 순식간에 팬무리에 휩쓸려 발이 무대 앞에 닿았다. 흡사 김밥 속 단무지 같았다. 빽빽한 밥알들 사이에 꽉 끼어 앞뒤로 움직일 수 없는 상태.

도하가 모습을 드러냈다. 팬들에게 밝은 미소로 인사를 건네고 곧바로 녹화를 시작했다. 첫 테이크가 끝나자 도하가 무대 끝으로 걸어 나왔다.

"여러분!"

오늘 사녹은 여기까지예요. 첫 그림이 너무 잘 나와서 아쉽지만… 이따 미니 팬 미팅에서 다시 만나요. 제가 여러분에게 힘이 되고 싶었는데 오히려 더 큰 힘을 받고 가는 거 같아요. 도하즈, 이른 아침부터 와주셔서 정말 감사합니다! 라고 도하가 팬들에게 미안함과 아쉬움을 전했다.

한나는 무대 위의 도하를 바라보며 기억 저편에서 마닐라의 시간이 어른거렸다. 복잡한 기분이었다. 설레고 가슴 벅찬 마음이 든 순간 의심스러웠다. 그가 정말로 내 삶에 다녀간 건지 그날이 거짓처럼 하룻밤의 꿈은 아니었는지 생각했다. '누구나 한 번쯤 이벤트가 일어난다는데 그게 내게도 찾아온 걸까' 싶었다.

* * *

여름에게도 일상의 변화가 생겼다. 여름은 한국으로 돌아온 뒤 좋아하는 걸 노트에 써 내려갔다. 의무적으로 쓴 것도 단순히 관심 있어 끄적거린 것도 섞여 있었다. 자기를 제대로 알기 위해서였다. 여름의 방법은 단순했다. '목록에 적고 10초간 바라보기' 확신이 들면 도장을 찍었다. 도장이 찍힌 곳은 마치 패스권을 얻은 것처럼 의지가 발동했다. 마음에 힘이 생긴 것처럼. 일 년 넘는 시간 동안 현실에서 도망치고 싶을 때면 목록을 꺼내 봤다. 그리고 어느 순간 자신도 연주자가 되고 싶다고 생각했다.

꾹꾹 눌러왔던 것을 쏟아내듯 무작정 시작했다. 그렇게 첼로 연습에 매진했다. 다시 학생 때로 돌아간 것처럼. 하루하루를 채워가며 이 시간의 이유를 찾아갔다. 어느 것 하나 버릴 게 없었던 날들이었고 물거품이 될까 두려워 미뤄왔던 일을 와락 저질러 버렸다. 여름의 도전은 사소하지 않았다. K시 지역 예술인 발굴·지원 콩쿠르에서 1위로 입상하는 꿈만 같은 일이 벌어졌다.

오늘이 그날이었다.

'한여름의 독주회'가 열리는 날, 수상 기념으로 얻게 된 연주회였다. 무대 뒤에서 여름은 깊게 숨을 들이마셨다. 어깨가 드러난 블랙 롱드레스와 단정하게 묶어 한쪽으로 흘러내린 머리가 우아하면서 고혹적인 매력을 동시에 뽐내고 있었다.

"이제 시작합니다."

스태프의 작은 속삭임에 여름은 고개를 끄덕였다.

객석 맨 앞줄 중앙, 도하가 정장 차림으로 앉아 있었다. 시선은 무대 중앙에 고정돼 있었다. 여름이 등장했다. 그녀의 손가락이 현 위에서 부드럽게 활을 그으며 짙고 애절한 음색을 만들어냈다. '슈만 환상모음곡 작품번호 73번'이었다. 표정은 평온해 보였고 음악에 완전히 몰입한 듯했다. 아주 가까운 곳에서 도하가 바라보고 있었지만 여름은 눈치채지 못했다.

마지막 곡이었다. 쇼팽의 '첼로 소나타 Op. 65'가 울려 퍼졌다. 여름의 연주는 더욱 대담해졌다. 그녀의 몸이 음악과 함께 흔들리는 듯했다. 도하는 숨죽인 채 연주에 빠져들었다. 장중하면서 격렬한 선율이 홀에 가득 채워지며 도하의 마음속에는 그들의 추억과 미래에 대한 기대가 교차했다.

공연이 끝나고 기립 박수가 이어졌다. 여름이 관객석을 향해 인사했고 동시에 그곳을 빠르게 빠져나가는 누군가의 뒷모습도 보게 됐다. 무대 뒤 대기실로 돌아온 여름이 곧 축하객들에 둘러싸였다. 친구들이 꽃다발을 주며 축하해주는 가운데 공연 관계자가 꽃바구니를 들고 왔다.

"어떤 남자분께서 전해 달라고 했습니다."

여름은 꽃바구니를 받아 들었다. 카드가 꽂혀 있었고 문체가 눈에 박히게 익숙했다.

'주차장에서 기다릴게. D.H'

공연장 주차장, 도하는 자동차에 기대서 있었다. 겉으로는 여유로워 보였지만 차 문을 툭툭 두드리는 손가락에서 긴장이 묻어났다. 1년여 만에 여름을 직접 보고 나니 자신의 감정이 무엇을 향하고 있는지 비로소 확신할 수 있었다.

여름은 '도하일까? 정말 그일까' 설렘과 뒤섞인 알 수 없는 마음으로 연주회장을 서둘러 빠져나왔다. 차가운 밤기운이 뺨을 스쳤지만 얼굴은 이미 더운 공기로 상기돼 있었다. 주차장에 도착해 주변을 빠르게 둘러봤다. 하지만 도하는 없었다. '혹시… 착각한 걸까?' 실망감이 차오르려는 찰나, 멀리서 낯설지만 눈길을 사로잡는 실루엣이 여름의 발걸음을 붙잡았다. 도하였다.

"여름아!"

도하의 목소리가 부드럽게 여름의 귀에 닿았다.

여름을 향해 걸어오는 도하의 얼굴이 점점 선명해졌다. 도하가 그녀 앞에 멈춰 섰을 땐, 그녀는 숨이 멎고 시선은 얼어붙었으며 모든 게 멈춰버렸다. 그의 깊고 다정한 눈동자만이 그녀를 향해 빛을 발하고 있었다. 도하는 능청스럽게 이리 줘, 하고 그녀의 무거워 보이는 짐을 뒷좌석에 조심스럽게 실었다.

도하는 여름과 시선이 마주치자 온화한 목소리로 말했다.

"오늘 정말 멋졌어."

여름이 미소를 지으며 답했다.

"고마워, 근데 어떻게 알고 온 거야?"

도하는 무슨 말을 할 듯하다가, 대신 부드럽게 차 문을 열었다. 여름이 먼저 타도록 배려했다.

'오늘은 그만둘까…' 도하는 습관처럼 인스타 검색창에 'yeoreum_cello'를 입력하려다 멈칫했다. 머리 반응보다 손가락이 빨랐다. 어떤 이유에서인지 한동안 소식이 없다가 오랜만에 새

글이 올라와 있었다. 게시물을 누르기 전 잠시 숨을 골랐다. '한여름의 독주회' 포스터 사진이 보였다. 잘 지낸다는 안도감과 왠지 모를 허전함이 동시에 밀려왔다. 그러곤 손가락이 '팔로우' 위에서 맴돌기를 반복하다 결국 누르지 못했다. 1년 전부터 그랬듯이.

도하는 이번엔 자신의 비밀계정을 열었다. 게시물을 빠르게 훑다 보니 친숙한 사진 한 장이 눈에 들어왔다. 데뷔 전 어느 겨울, 도하는 텅 빈 연습실에서 홀로 연습을 마쳤다. 옷은 땀으로 흠뻑 젖어 있었고 바닥에 누워, 거친 호흡이 잦아들기를 기다렸다. 그 순간을 카메라에 담았다. 찰칵. 늘 그랬듯이 연습을 마친 뒤 트와일라잇 OST를 듣고 있었다. 바닥에 흐르는 썰렁한 냉기가 그의 열기로 미지근해질 때까지 여름과의 추억을 몇 번이고 되새겼다. 여름방학 때 여름은 입에 침이 마르도록 그를 칭찬했다. 괜찮아, 잘했어, 자신을 믿어주는 말을 들을 때마다 도하는 그만큼 믿음을 주려 했다. 여름의 말 한마디에 그는 멋진 사람이 된 듯했고 더 나아갈 힘이 생겼다. 칭찬을 아끼지 않았던 여름이 특별했다. 실제로 여름 덕분에 힘든 연습생 시절을 지나갈 수 있었다. 그녀가 없었다면 버티지 못했을 그 시간, 그곳엔 여름의 응원이 있었다.

그녀의 웃는 얼굴이 종일 차오를 때면 그 마음이 노래를 만들게 했다. 할머니 집에서 첼로를 연주하던 여름의 모습을 떠올리며. '이끌림'이라는 제목으로 앨범에 실었다. '이끌림'을 들으면 여름이 떠올랐고, 여름을 보면 이 노래가 떠오를 것 같았다. 몸이 지치고 힘들 때도 듣고 있으면 마음은 밝아졌다. 도하는 오늘도 이 노래를 들으며 여름에게 닿기를, 그녀에게 들리기를 바랐다.

두 사람이 차에 올라탔다. 차는 주차장을 빠져나와 한강을 따라 달리기 시작했다. 도하가 차창을 내리자 선들선들한 바람이 불어왔다. 그의 마음을 가라앉혀주는 듯했다.

잠시 망설이던 여름이 물었다.

"근데 갑자기 왜… 반말이야?"

"…싫어?"

"아니, 당황스러워서…."

"그냥 내 마음이야. 나는 앞으로도 이렇게 부를래."

여름은 순간 뺨이 화끈거렸다. 차가 신호를 기다리는 타이밍에 그녀가 궁금한 듯 다시 입을 열었다.

"왜 주차장에서 기다렸어?"

"아, 그게… 내가 방해될까 봐."

도하는 아무렇지 않게 말했다. 혹시라도 자신이 알려지면 여름의 시간을 빼앗을까 걱정이 됐다고. 도하의 배려 온도가 높게 느껴졌다. 여름은 마음이 따뜻해졌다. 대화는 자연스럽게 이어졌고 차 안의 분위기도 점점 편안해졌다. 차가 여름의 아파트에 다다랐을 때 오디오에서 낯익은 멜로디가 흘러나왔다. 여름은 놀란 듯 도하의 팔을 살짝 건드렸다.

"어! 이거 '이끌림'이지?!"

도하가 가만히 고개를 끄덕이자 여름이 말을 이었다.

"내 최애야. 마치 나뭇잎 사이로 스며드는 햇살이… 나를 안아 주는 거 같아서 설레."

도하는 여름이 자신의 마음을 읽은 줄만 알았다. 잠시 머뭇거리다 도하가 말했다.

"좀 걸을까?"

여름이 그래, 라고 답했다. 한 뼘 사이를 두고 둘은 아파트 주변을 걸었다. 산책로는 밤의 정적이 배어 있었다. 발걸음에 들려오는 메마른 잎들만이 바람에 굴러다니며 타닥타닥 불규칙한 소리를 냈다. 여름은 살며시 그의 옆얼굴을 봤다. 뭔가 고민하는 표정이었다.

"여름아…."

여름은 듣고 있었다.

"이 말하려고 기다렸어. 이끌림… 널 생각하면서 만들었어."

도하의 목소리가 어렴풋이 떨려 나왔다. 잠시 말을 멈춘 그가 깊게 숨을 들이쉰 뒤 이어 말했다.

"내 마음속에 넌 항상 빛나고 있어. 그때도 지금도…."

여름은 놀라 도하를 바라보는데 그의 입가에 따스한 미소가 어려 있었다. 시간이 정지된 듯한 그곳에서 여름의 마음만 달콤하게 떨렸다. 하지만 현실감이 들지 않아서 그저 침착함을 유지하려 애썼다. 도하의 진심 어린 눈동자를 마주하고 나서야 여름은 비로소 환하게 웃었다. 노랗고 따스한 가로등 빛을 따라 두 사람은 나란히 걸어갔다.

여름의 얼굴에서 빛이 났다. 모든 순간이 그랬던 것처럼.

| 07 |

시간을 건너는 마법

오미정

소설

오미정

저는 그림책을 좋아합니다. 그림책은 저에게 무한한 상상력을 선물하는 마법 같은 공간입니다. 재미있고 감동적인 그림과 이야기를 통해 세상을 바라보는 시야를 넓혔고, 꿈을 향해 나아가는 용기를 얻었습니다. 언젠가 제가 만든 그림책으로 많은 사람들에게 즐거움을 선사하고, 그들의 마음에 따뜻한 울림을 주고 싶습니다.
이번에 쓴 작품 '시간을 건너는 마법'은 워킹맘의 바쁜 일상 속에서도 감사하는 마음을 잃지 않고 가족의 소중함을 느끼며 작은 행복을 찾아가는 여정을 담은 작품입니다. 이 작품을 통해 많은 분들이 따뜻한 위로를 얻고, 삶의 의미를 되새기는 시간을 가졌으면 좋겠습니다.

시간을 건너는 마법

워킹맘 서현의 하루

새벽 5시 서현은 알람 소리에 눈을 떴다. 감기에 걸린 수아가 밤새 뒤척이며 잠을 이루지 못해 서현도 뜬눈으로 밤을 지새웠다. 그래도 서현이 정성스럽게 돌본 덕분에 39도를 찍던 체온도 새벽녘이 되어서야 36도 끝자락으로 내려왔다. 서현은 잠에 취한 눈을 비비며 젖은 솜뭉치처럼 무거운 몸을 겨우 일으켜 세웠다. 서둘러 샤워를 하고 출근 준비를 했다. 5년 전, 갓 결혼하여 꿈에 부풀어 있던 시절과는 사뭇 다른 풍경이었다. 지금 그녀는 스마트팜 회사에서 일하는 워킹맘이다. 육아 휴직 후 복직한 지 얼마 되지 않아 아직도 회사 생활에 완전히 적응하지 못한 상태였다. 게다가 남편은 2년 전, 집에서 3시간 거리에 있는 회사로 인사 발령이 나서 할 수 없이 주말부부로 지내고 있었다. 그래서 평일에는 오롯이 서현 혼자 수아를 돌봐야 했다.

서현은 수아를 집 앞 유치원에 보내고 서둘러 지하철로 향했다. 출근길 지하철 안에서 서현은 스마트폰으로 회사 메일을 확인하며 오늘 해야 할 일들을 정리했다. 갑작스럽게 발생한 시스템 오류와 다음 주 발표 준비로 서현은 머리가 복잡해져 잠시 눈을 감았다. 회사에 도착하자마자 동료들과 함께 긴급회의에 참석해야 했고, 시스템 오류를 해결하기 위해 지방 출장도 다녀왔다. 발표 자료를 만들고, 수아의 유치원 선생님과 통화를 하니 하루가 쏜살같이 지나갔다. 자존감이 높았던 서현은 결혼 후 직장생활도, 육아도 잘할 자신이 있었다. 그렇지만 현실은 녹록지 않았다. 일과 육아를 병행하는 것은 생각보다 훨씬 힘든 일이었다.

서현의 노트북 바탕화면에는 아름답고 신비로운 섬 '제주도'의 사진이 있다. 푸른 바다와 울창한 숲이 조화롭게 어우러진 그곳을 보면, 서현은 할머니 생각이 났다. 서현은 어린 시절 부모님이 교통사고로 갑작스럽게 돌아가셔서 할머니와 함께 살게 되었다. 할머니는 어린 서현을 잘 키우기 위해 밤, 낮 없이 일하며 사랑으로 서현을 키우셨다. 서현은 할머니의 정성과 희생 덕분에 건강히 잘 성장했고, 고마운 할머니와 함께 제주도로 여행을 가는 것이 소원이었다. 서현은 힘들 때마다 할머니와의 여행을 생각하며 열심히 공부했고, 우수한 성적으로 대학을 졸업했다. 그리고 곧바로 취직에도 성공했다. 서현은 할머니와 꿈에 그리던 제주도로 여행을 갈

수 있다는 희망에 부풀어 행복해했다. 그러나 갑작스럽게 할머니가 아파 누우시는 바람에 여행은 꿈꾸기조차 어려워졌다. 1년의 병원 생활을 마치고 할머니는 서현만 남기고 떠나셨다. 서현은 노트북을 켤 때마다 할머니가 보고 싶었다. 할머니와 아름다운 제주도를 거니는 상상을 하면서 오늘도 일을 시작했다.

할머니의 밥솥

서현은 요즘 지능형 농장 시스템 운영을 위한 소프트웨어 개발로 분주한 시간을 보내고 있다. 그래서인지 회사에서 끝내지 못한 업무를 종종 집으로 가져와서 마무리했다. 오늘도 수아를 하원시킨 후 급히 저녁을 먹고 수아가 좋아하는 텔레비전 프로그램인 '레인보우'를 틀어주었다. 그리고 서현은 노트북을 켜 원격업무를 시작했다. 오늘도 텔레비전을 보다 잠든 수아를 침대로 옮겼다. 서현은 요즘 수아와 제대로 시간을 보내지 못한다는 생각에 마음이 무거웠다. 하지만 밀린 업무를 마무리하기 위해 수아가 잠든 방을 조용히 나와 서재로 향했다. 책상 위에 쌓여 있는 서류들은 마치 그녀를 짓누르는 듯했다. 커피를 한 잔 마시고 서류를 펼쳤지만, 도무지 집중이 되지 않았다. 엄마를 찾는 수아의 얼굴이 자꾸만 떠올랐다.

"엄마, 오늘은 같이 우주 놀이해 줄 수 있어요?"

우주를 좋아하는 수아의 애절한 목소리가 귀에 맴돌았다. 오늘 하루도 업무에 쫓겨 같이 놀고 싶다는 수아의 마음을 읽어 줄 수 없었다. 서현은 잠시 눈을 감고 심호흡을 했다. 워킹맘으로서 성공하고 싶은 마음과 엄마로서 딸에게 충분한 사랑을 주고 싶은 마음 사이에서 끊임없이 갈등했다. 어쩌면 둘 다 완벽하게 해낼 수 없다는 것을 알면서도 마음 한구석에서는 항상 아쉬움이 남았다. 아침에 일어나 어린 수아와 마주할 때면 서현은 늘 미안한 마음이 들었다. 수아는 엄마의 품에 안겨 잠시도 떨어지려 하지 않았다. 서현은 수아의 작은 손을 꼭 잡고 속삭였다.

"수아야. 오늘은 엄마 일찍 올게."

오늘도 차가울 만큼 네모반듯한 회사에 도착했다. 휘몰아치듯 밀려드는 업무를 처리하고 한숨을 돌렸다. 시계를 보니 6시 30분! 서현은 남은 서류를 대강 정리하고 차에 시동을 걸었다. 가까스로 유치원 돌봄 시간에 맞춰 수아를 데려왔다. 수아는 엄마를 만난 기쁨에 지치지도 않는지 연신 입을 다물지 않았다. 서현은 밀려드는 업무와 집안 일을 생각하니 머리가 지끈거렸다. 차에서 쉼 없이 재잘대던 수아는 집에 오자마자 어느새 잠이 들었다. 서현은 입이 바짝 말랐다. 물이라도 한 모금 마시려고 주방으로 나왔다. 어두운 주방 한구석에 서현의 시선이 머물렀다. 거기에는 낡은 밥솥이 하나 놓여 있었다. 그 밥솥은 1년 전 돌아가신 할머니께서 남겨 주신 것이었다. 서현은 지칠 때마다 할머니가 그리웠다. 할머니 생각이 날 때면 서현은 할머니가 남겨 주신 낡은 밥솥에 밥을 지었다. 하지만 오늘따라 밥솥은 서현에게 무겁게 다가왔다. 밥솥은 도무지 열릴 생각이 없었다. 서현은 안간힘을 다해 밥솥을 열었다. 그런데 갑자기 따뜻한 빛이 쏟아져 나오더니 서현은 밥솥 안 낯선 풍경 속으로 빨려 들어갔다.

푸른 들판이 펼쳐진 한적한 마을에 할머니가 활짝 웃으며 서현을 맞이했다. 그곳은 서현이 할머니와 여행하고 싶었던 아름다운 섬 '제주도'였다.

"할머니!"

서현은 놀라움에 입을 다물 수가 없었다. 할머니는 환하게 웃으며 서현을 꼭 안아주었다.

"아이고 우리 강아지, 서현이 왔구나."

할머니의 따뜻한 품에 안겨 서현은 오랫동안 울었다. 할머니는 서현의 머리를 쓰다듬으며 위로해 주었다.

"우리 서현이가 많이 힘들었구나. 할미가 맛있는 밥 해줄게."

할머니는 정성껏 차린 밥상을 내놓았다. 갓 지은 밥에 구수한 된장찌개 그리고 할머니만의 특별한 손맛이 담긴 나물 반찬들이 가득했다. 어린 시절 먹던 익숙한 맛에 서현은 눈물을 글썽였다. 서현의 굳게 다문 입술 사이로 떨리는 목소리가 새어 나왔다.

"할머니, 제가 어렸을 때 먹었던 바로 그 맛이예요."

서현은 맛있게 천천히 밥을 먹고 할머니와 이야기를 나누었다.

"할머니, 저는 늘 회사 일과 집안 일까지 하느라 너무 바빠서 수아랑 여유롭게 시간을 보내지 못하는 것 같아요. 그래서 수아에게 항상 미안해요."

서현은 자신의 솔직한 마음을 털어놓았다.

"우리 서현이가 정말 바쁘겠구나. 많은 역할을 다하려면 얼마나 힘이 드니. 그래 서현아, 일을 하면서 아이를 키우는 것은 쉽지 않단다. 하지만 아이들은 엄마의 마음을 다 알고 있어. 서현이 네 마음도 수아에게 충분히 전해질 거야."

할머니의 따뜻한 위로에 서현은 눈시울이 붉어졌다.

"할머니, 저는 늘 완벽한 엄마가 되고 싶었어요. 수아도 잘 키우고 싶고, 일에서도 성공하고 싶어요."

"그래. 서현아, 이 할미도 완벽한 엄마가 되고 싶었단다. 그렇지만 세상에 완벽한 엄마는 없어. 중요한 것은 아이를 사랑하는 마음이지. 그리고 하루하루 감사하며 행복을 위해 살다 보면 어느 순간 네가 바라는 모습에 가까워져 있을 거야."

할머니의 따뜻한 말에 서현은 마음속 깊은 곳에서 위로를 받았다. 오랜만에 서현의 마음도 편안해졌다.

"서현아, 할미도 힘들 때가 있었지. 그래, 그래, 잠깐만 기다려 봐라."

할머니는 나무 손잡이가 달린 작은 문으로 들어갔다. 그리고 잠시 후 손바닥보다 조금 크고 납작한 분홍색 상자를 가져왔다. 상자는 모서리가 모두 낡아 오래된 물건처럼 보였다.

"할미는 힘들 때마다 이걸···"

할머니의 비밀

“엄마, 배고파요.”

수아가 서현을 흔들어 깨웠다. 서현의 눈에 할머니는 더 이상 보이지 않았다. ‘꿈이었구나.’ 꿈이라고 하기에는 너무 선명한 기억이었다. 할머니와 함께했던 따뜻한 시간은 마치 현실 같았다. 서현은 떨리는 손으로 낡은 밥솥을 살펴봤다. 그리고 밥솥의 뚜껑을 열었다. ‘철컥’ 밥솥 안에는 아무것도 없었다. 따뜻한 빛도, 푸른 들판도 더 이상 보이지 않았다. 서현은 할머니의 마지막 말이 궁금했다. ‘할머니는 힘들 때마다 대체 뭘 했다는 거지? 다시 할머니를 만나서 물어보고 싶어.’ 잠시 생각에 잠겨있는 서현을 수아는 마냥 기다려 주지 않았다. 수아는 서현 앞에서 두 손을 배에 대고 배고파서 쓰러지겠다는 모습을 취했다. 서현은 수아의 애교에 입꼬리가 올라갔다. 오늘은 이상하게도 평소처럼 피곤하지 않았다. 오랜만에 깊은 잠을 자고 나서 에너지가 충만한 느낌이었다. 서현은 앞치마를 고쳐 입고 수아가 좋아하는 순두부 된장찌개를 끓이기 시작했다. 할머니의 특급 된장찌개는 아니지만 보글보글 맛있는 소리가 집안에 가득 찼다. 수아와 저녁을 먹은 서현은 행복한 마음이 들었다. 수아와 즐겁게 지내기로 마음먹은 서현의 생각을 눈치챘는지 수아의 눈이 반짝거렸다. 수아는 택배 상자를 보더니 알록달록하고 화려한 색감의 색연필을 가져왔다. 색연필은 이리저리 춤을 추며 택배 상자를 멋진 우주선으로 만들기 시작했다. 서현은 수아와 함께하는 시간이 따뜻하고 소중했다. 수아도 엄마와 함께하는 시간이 즐겁고 행복했다.

다음날도 서현은 여느 때와 다름없이 날카로울 만큼 네모반듯한 회사에 출근했다. 출근하자마자 팀장의 다급한 목소리가 들려왔다. 새로 시작한 프로젝트에 이상이 있었던 것이다. 서현은 현장으로 출동했다. 얼마 전 설치한 스마트팜 온도 센서에서 오작동이 발견된 것이다. 서현은 영상모니터 장치를 통해 이상 부분을 확인하고, 센서의 불량부품을 교체했다. 일은 잘 마무리되었지만, 긴장이 풀린 탓인지 몸이 땅속으로 끝없이 꺼져버리는 느낌이었다. 서현이 정신을 차리고 시계를 보니 6시가 다 되어갔다. 오늘도 유치원 돌봄 시간 끝자락에서 수아를 데려왔다. 집으로 돌아온 서현은 수아를 씻기고 주방으로 발걸음을 옮겼다. 그때 할머니의 밥솥이 눈에 들어왔다. 서현은 할머니 생각이 났다. 할머니는 힘들 때마다 무엇을 하셨는지 궁금증은 더욱 커졌다. 서현도 행복하고 싶었다. 힘든 마음을 쉽게 걷어내고 남들처럼 행복하게 살고 싶었다. '한 번만 더 할머니를 만나고 싶어. 할머니가 나한테 하려던 말씀이 뭐였는지 듣고 싶어.' 서현은 낡은 밥솥을 끌어안듯 꼭 쥐었다. 할머니가 쓰시던 밥솥에서는 따뜻한 밥 냄새가 묻어나는 듯했다. 서현은 밥솥을 찬찬히 살펴보았다. 낡은 손잡이에는 세월의 흔적이 고스란히 남아 있었다. '할머니, 보고 싶어요.' 서현은 밥솥에 속삭이며 눈을 감았다. 하지만 밥솥은 서현을 할머니에게 데려다주지 않았다. 서현은 실망했지만, 배고픈 수아를 위해 저녁 준비를 했다.

서현은 수아가 좋아하는 오므라이스를 해서 맛있게 저녁을 먹었다. 설거지를 마치자, 수아는 주말에 아빠와 산 코잉스보드게임을 가져왔다. 수아는 블록 조각을 이리저리 옮기며 미션을 잘 수행하였다. 처음 하는 서현도 금방 게임 방법을 터득했다. 잠시 후 수아의 우렁찬 목소리가 들렸다.

"코잉스"

수아가 서현보다 더 빨리 블록 맞추기 미션을 성공한 것이다. 서현은 두 손으로 머리를 감싸 안았다.

"다음에는 엄마가 먼저 맞출 거야."

"내가 우리 반에서 코잉스 왕이에요. 왕을 이기긴 어려울걸요?"

수아의 귀여운 목소리에 서현은 큰 소리로 웃었다. 보드게임을 마치고 침대에 누웠다. 그리고 수아가 가져온 그림책을 읽었다. 책을 거의 다 읽었을 때 수아는 행복한 미소를 지으며 잠이 들었다. 서현도 잠자리에 누웠다가 아까 퇴근길에 사 온 우주 그림책이 생각났다. 수아가 좋아할 것 같아서 사 온 선물이었다. 수아가 아침에 일어나서 우주 그림책을 보면 무척 좋아할 것 같았다. 서현은 책을 가지러 서재로 향했다. 서재에서 책을 들고나오려는데 책상 서랍이 서현의 눈에 들어왔다. 서현은 서랍을 드르륵 열었다. 놀랍게도 그곳에는 꿈속에서 할머니가 들고나왔던 모서리가 낡은 분홍색 상자가 들어있었다. '언제부터 여기에 있었지?' 서현은 순간 세상이 멈춘 듯 숨이 멎을 뻔했다. 놀라움에 입이 떡 벌어져 아무 말도 나오지 않았지만, 서현은 용기를 내 분홍 상자를 조심스레 열었다. 상자 속에는 부드러운 하늘빛 책이 들어있었다. 책 앞 장에는 '감사 일기'라고 쓰여 있었다. '1970년 10월 6일 오늘은 따뜻한 햇살이 좋았다. 하루 종일 공장에서 일하다 보니 힘은 들었지만 그래도 친구가 건네준 시원한 주스를 마시니 마음까지 편안해졌다.' '1972년 3월 10일 오늘은 우리 딸이 반에서 반장이 됐다. 나는 너무 기뻤다. 친구들을 잘 살필 줄 아는 반장이 되었으면 좋겠다.'

서현은 할머니의 일기장을 천천히 살펴보았다. '할머니도 일하랴, 가족들 챙기랴 정말 바쁘고 힘드셨겠지.' 일기장을 넘기다 마지막 페이지에 서현이라는 글자가 눈에 띄었다. 그곳에는 할머니가 서현이에게 남긴 편지가 적혀 있었다.

'사랑하는 우리 손녀 서현이에게

서현아, 잘 지내지? 할미가 이 세상을 떠나기 전에 너에게 하고 싶은 말이 너무 많구나. 서현이가 이 편지를 읽을 때쯤엔 이 할미는 하늘나라에서 너를 지켜보고 있겠지?

할미는 젊은 시절 공장에서 열심히 일했지. 그러면서 너의 엄마랑 삼촌들도 키웠단다. 힘든 일이 많았지만, 가족들을 생각하면 힘이 났지. 우리 서현이도 매번 할미한테 결혼해서 일도 잘하고 아이도 잘 키우고 싶다고 얘기했었지. 우리 서현이는 잘 해낼거라 생각한다. 그리고 서현이는 지금까지 정말 잘 해왔어. 착하고 예쁘게 자라줘서 할미는 너무나도 고맙단다. 이 할미도 살아오면서 힘든 시절이 많이 있었단다. 그럴 때마다 감사 일기를 썼지. 오늘 하루 감사했던 일들을 적으면서 마음을 다스렸어. 작은 것에 감사하는 마음을 잃지 않으려고 노력했단다. 서현아, 감사하는 마음을 갖는다면 행복은 항상 너의 곁에 있을 거야. 너도 힘든 일이 있으면 언제든지 감사 일기를 써 보렴. 분명 큰 도움이 될 거야. 할미는 서현이가 앞으로 어떤 꿈을 꾸고 어떤 사람이 될지 무척 궁금하단다. 언제나 네 곁에서 너를 응원할 거야. 혹시 이 할미가 보고 싶을 때는 하늘을 올려다보렴. 할미는 반짝이는 별이 되어 너를 늘 지켜줄 거야. 사랑하는 우리 손녀 서현아, 할미는 너를 정말 사랑한다.'

할머니의 따뜻한 위로에 서현은 눈물을 글썽였다. 서현은 할머니의 말대로 작은 것에 감사하는 마음을 갖기로 했다.

서현은 곧바로 일기장을 펴고 오늘 하루 감사한 일들을 적기 시작했다. '사랑스러운 딸 수아가 건강하고 밝게 잘 자라줘서 감사하다.' '센서를 이용한 자동제어 시스템을 개발하는 데 성공해서 감사하다.' '따뜻한 햇살 아래 산책을 할 수 있어서 감사하다.' 서현은 감사 일기를 쓰면서 점점 행복해졌다. 고된 일상에서도 작은 기쁨들을 발견했다. 감사하는 마음을 갖게 되자 스트레스는 줄어들고 마음은 평화로워졌다. 서현은 다시 낡은 밥솥을 바라보았다. 밥솥은 마치 할머니의 따뜻한 마음을 담고 있는 듯했다. 다음 날 아침 서현은 밝은 표정으로 딸 수아를 깨웠다. 수아는 서현의 얼굴을 보고 해맑게 웃었다. 서현은 수아를 꼭 안아주며 속삭였다.

"수아야, 엄마는 너를 정말 사랑한단다."

서현은 다시 회사로 향했다. 회사로 향하는 창밖은 예전에 보지 못했던 아름다운 풍경으로 가득했다. 하늘은 푸른 바다처럼 맑고 높았으며 볼을 간지럽히는 시원한 바람은 서현의 기분을 즐겁게 해줬다. 업무에 집중하기 어려웠던 예전과 달리, 오늘은 모든 일이 즐겁게 느껴졌다. 출근길 서현은 수아와 무엇을 함께 할 수 있을지 생각했다. 서현은 스마트폰 버킷리스트 앱에 수아와 하고 싶은 일을 하나하나 적어나가기 시작했다. 서현은 가슴이 벅차올랐다.

할머니와 수아

서현은 출장을 나왔다가 일이 빨리 마무리되어 1시간 일찍 퇴근할 수 있었다. 서현은 유치원에 전화를 걸어 수아를 평소보다 일찍 데리러 가겠다고 말했다. 수아는 다른 날보다 일찍 엄마를 만나 기분이 좋아 보였다.

"엄마, 오늘 왜 이렇게 일찍 왔어요?"

"우리 수아랑 소풍 가려고 엄마가 일찍 왔지."

수아는 엉덩이를 흔들면서 기쁨을 표현했다. 서현은 수아와 근처 공원에 갔다. 공원에서 수아가 좋아하는 비눗방울 놀이도 하고, 맛있는 츄러스도 먹었다. 서현은 수아와 함께하는 시간이 소중했다. 수아도 엄마와 함께하는 시간이 즐거웠다. 서현은 수아에게 다음에 또 소풍을 가자고 약속하고 집으로 돌아왔다. 집에 도착하자마자 서현은 피로가 몰려왔다. 서현은 잠깐 침대에서 쉰다는 것이 깜빡 잠이 들었다. 수아는 잠든 엄마를 바라보며 무언가 떠올랐다는 듯 주방으로 발걸음을 옮겼다. 예전에 엄마가 밥솥에 밥을 했던 일이 생각났다. 그래서 수아는 잠든 엄마를 위해 밥을 해드리고 싶었다. 수아도 엄마처럼 쌀통에 있는 쌀을 밥솥에 넣으면 밥이 될 것이라고 생각했다. 주방에는 낡은 밥솥이 있었다. 밥을 처음 해보는 수아는 밥솥을 찬찬히 살펴보았다. 그리고 뚜껑 열림 스위치를 눌렀다. '철컥' 밥솥이 열리자 알록달록한 빛이 쏟아져 나왔다. 수아는 밥솥 안 낯선 풍경 속으로 빨려 들어갔다.

수아는 깜깜한 어둠 속에서 둥둥 떠다니고 있었다. 낯선 공간에 혼자 남겨진 두려움에 휩싸일 때쯤 갑자기 어디선가 수아를 부르는 소리가 들리기 시작했다.

"우리 수아 거기 있니?"

낯선 할머니의 목소리였다. 그 목소리는 엄마가 자주 이야기해 주시던 할머니의 목소리 같았다. 평소에 엄마는 할머니가 얼마나 따뜻하고 좋은 분이셨는지 이야기해 주셨지만 실제로 만난 것은 오늘이 처음이었다. 수아는 용기를 내어 뒤를 돌아봤다.

"할머니?"

수아는 할머니를 빤히 쳐다보았다. 할머니는 환하게 웃으며 수아를 안아주었다. 낯선 사람에게 안긴 것임에도 불구하고 수아는 편안함을 느꼈다.

"할머니는 누구세요? 그리고 여기가 어디예요?"

수아는 어리둥절해하며 물었다. 할머니는 밝은 미소를 지으며 대답했다.

"수아야, 나는 너희 엄마의 할머니란다. 우리 수아 많이 컸구나. 그리고 여기는 시간 여행을 할 수 있는 곳이지. 수아가 우주를 좋아한다고 들었는데."

수아는 고개를 끄덕였다.

"그럼, 이 할미랑 우주로 놀러 가볼까?"

할머니의 말에 수아는 눈을 동그랗게 떴다. 그리고 잠시 생각에 잠기더니 할머니를 바라보며 말했다.

"우주에 가보고 싶어요."

할머니는 손을 뻗어 허공을 가리켰다. 그 순간, 수아는 눈 부신 빛에 휩싸였다. 눈을 떠보니 수아는 거대한 우주선 안에 있었다. 수아는 우주복을 입고, 중력을 거스르며 둥둥 떠다니고 있었다. 우주선 안에는 엄마처럼 키가 크고 우주복이 잘 어울리는 언니가 있었다. 그 언니는 수아에게 먼저 말을 걸었다.

"안녕 수아야! 나는 우주 엔지니어가 된 미래의 수아야. 오늘은 새로운 행성을 탐사하는 날이야. 우리 같이 우주여행을 떠나볼래?"

미래의 수아는 자신감이 넘치는 목소리로 말했다. 수아는 마치 오랫동안 기다려 온 선물 상자를 개봉하는 듯한 설렘과 처음 겪는 상황에 대한 조심스러운 마음이 공존했다. 수아는 숨을 크게 들이쉬었지만, 흥분은 쉽게 가라앉지 않았다. 잠시 후 수아는 미래의 수아에게 씩씩하게 대답했다.

"우주여행을 해보고 싶어요."

수아는 우주복의 버튼을 단단히 잠그고, 헬멧을 썼다. 드디어 우주선이 움직이기 시작했다. 커다란 우주선이 움직일 때는 엔진 소리가 요란할 줄 알았는데 아무 소리도 들리지 않았다. 그러나 창밖으로 보이는 지구는 점점 작아져 푸른 구슬처럼 빛났다. 우주선 안은 조용했지만, 수아의 마음속에는 팡파르가 울리며 기쁨과 벅찬 감동으로 가득했다. 미래의 수아가 밝게 웃으며 물었다.

"새로운 행성에서 우리가 무엇을 발견하게 될지 정말 기대돼."

미래의 수아는 수아의 어깨를 토닥이며 말했다. 새로운 행성에 도착해서 미래의 수아는 수아에게 탐사 로봇을 조작하는 방법을 알려줬다. 평소 기계를 잘 다루던 수아는 쉽게 로봇 조작 방법을 익혔다. 수아는 탐사 로봇을 조작하며 미지의 행성을 향해 나아갔다. 로봇의 카메라를 통해 전달되는 영상은 신비로운 광경으로 가득했다. 형형색색의 광물들이 빛나고, 기묘한 모양의 식물들이 자라고 있었다.

"와, 정말 신기해요!"

수아는 감탄사를 연발하며 로봇을 조종했다. 그런데 갑자기 로봇의 경보음이 울리기 시작했다. 수아는 깜짝 놀라 소리를 질렀다.

"수아야, 조심해! 저기 뭔가 있어!"

미래의 수아가 재빨리 수아를 안전한 곳으로 안내했다. 수아는 로봇의 카메라를 통해 거대한 동굴을 발견했다. 동굴 안에는 반짝이는 수정들이 가득했다.

"저게 뭐지?"

수아는 호기심에 가득 차 동굴 안으로 들어갔다. 동굴 안은 어둡고 습했지만, 수정들이 내뿜는 빛 덕분에 주변을 볼 수 있었다. 갑자기, 동굴 천장에서 물방울이 떨어지기 시작했다. 수아는 놀라 뒤로 물러섰다. 그때 물방울이 떨어진 곳에서 작은 빛이 났다. 수아는 조심스럽게 다가가 빛나는 물체를 집어 들었다. 그것은 작은 조약돌처럼 생겼지만, 표면은 유리처럼 투명했다. 조약돌 안에는 작은 우주가 담겨 있었다. 수아는 조약돌을 손에 꼭 쥐고 감탄했다.

"이것 정말 신기해요!"

수아는 조약돌을 미래의 수아에게 보여주었다. 미래의 수아는 조약돌을 자세히 살펴보더니 미소를 지었다.

"수아 네가 정말 대단한 발견을 했구나. 이 조약돌은 우리 우주에 대한 새로운 가능성을 열어줄지도 몰라."

미래의 수아의 말에 수아는 가슴이 벅차올랐다. 수아는 자신이 우주 엔지니어가 되어 우주를 탐험하고, 새로운 것을 발견하는 일이 얼마나 멋진 일인지 다시 한번 깨달았다. 수아는 조약돌을 소중히 가슴에 품고 우주선으로 돌아왔다. 수아는 미래의 수아처럼 훌륭한 우주 엔지니어가 되어 우주를 더 깊이 탐험하고 싶다는 생각이 들었다. 수아는 할머니에게 말했다.

"할머니, 저는 꼭 우주 엔지니어가 될 거예요!"

수아는 마치 어둠 속에서도 빛을 향해 나아가는 나침반처럼, 목표를 이루겠다는 굳은 의지를 보여줬다. 할머니는 수아의 머리를 쓰다듬으며 따뜻하게 말했다.

"물론이지, 수아야. 너는 무엇이든 할 수 있단다."

행복한 삶

깜빡 잠이 들었던 서현은 거실로 나왔다. 주방에는 밥솥을 안고 잠들어 있는 수아가 있었다. 서현은 수아를 안방 침대에 누이고 저녁을 준비했다. 저녁 준비를 마친 서현은 수아를 깨웠다. 잠에서 깬 수아는 꿈속에서 만난 할머니와 헤어진 것이 아쉬웠지만 재미있는 꿈을 꾼 것 같아서 기분이 좋았다. 수아가 잠든 사이 서현은 수아가 가장 좋아하는 삼겹살을 노릇노릇하게 구워놓았다. 수아는 저녁을 먹으며 얼굴 가득 행복한 미소를 지었다. 마지막 한 입까지 맛있게 먹은 수아는 만족한 듯 숟가락을 내려놓았다. 수아는 왼손으로 배를 통통 두드리고 오른손으로는 엄지를 치켜들며 말했다.

"엄마 오늘 저녁 최고였어요."

수아의 한 마디에 서현은 힘이 솟았다. 서현이 설거지를 할 동안 수아는 엄마가 사준 우주 그림책을 펼쳐보았다. 그림책을 보자 할머니를 만났던 일이 떠올랐다. 수아의 마음은 우주에 대한 꿈으로 가득했다. 할머니와의 만남은 수아에게 용기를 주었고, 우주를 향한 꿈을 키워 주었다. 수아는 밤하늘을 올려다보며 별들에 속삭였다. '나는 꼭 우주 엔지니어가 될 거야!' 수아의 눈빛은 밝게 빛났다.

저녁 8시. 서현의 전화벨이 울렸다. 오늘은 벨 소리가 평소보다 더 경쾌하고 발랄하게 느껴졌다. 수아는 엄마의 전화벨 소리에 먼저 반응했다. 마치 파블로프의 고전적 조건이론처럼 수아는 전화벨 소리에 하던 일을 멈추고 전화기를 들었다. 액정 화면에는 '나의 에너지'라고 쓰여 있었다. 수아는 통화버튼을 누르고 큰소리로 "아빠!"하고 불렀다.

수아와 아빠의 통화는 끝날 기미가 보이지 않았다. 10분이 흘렀지만, 수아는 엄마에게 전화기를 넘겨주기는커녕 아빠에게 영상통화를 하자고 말했다. 수아는 한참 동안 영상통화로 아빠를 만났다. 드디어 수아는 통화를 마치고 서현에게 전화기를 넘겼다. 드디어 서현은 전화를 받았다. 수아 아빠는 서현에게 좋은 소식이 있다고 먼저 입을 열었다.

"여보 나 이번에 회사에서 승진했는데 마침 집 근처 지점으로 발령이 났어. 다음 달이면 집으로 갈 수 있어."

"정말? 정말이지! 여보 승진 축하해. 너무 잘 됐다."

"그동안 우리 서현이가 고생 많았지. 내가 집에 가면 수아도 잘 돌보고 우리 서현이한테도 충성을 다하겠습니다."

서현은 남편의 넉살에 미소가 지어졌다.

어느덧 한 달이라는 시간이 지났다. 서현의 남편은 드디어 집으로 돌아왔다. 오랜만에 집안이 따스한 햇살처럼 환하게 웃는 얼굴로 가득했다. 마치 꽃이 만개한 봄날처럼 집안 전체가 활짝 피어난 듯했다. 남편과 함께 수아를 돌보면서 서현은 오랜만에 여유를 되찾았다. 주말에는 가족과 함께 공원에 나가 산책을 하고, 집에서는 남편이 저녁을 준비하는 동안 수아와 함께 그림을 그리거나 책을 읽었다. 직장에서도 변화가 생겼다. 서현은 회사에 육아 시간을 신청해 일주일에 두 번, 두 시간을 일찍 퇴근하기로 했다. 그렇게 얻은 오후 시간에 서현은 수아와 함께 소풍을 다녔다. 수아의 웃음소리 가득한 소풍 길은 서현에게도 큰 행복이었다. 그리고 서현은 그동안 배우고 싶었던 미싱을 배우기로 마음먹었다. 육아시간을 쓰지 않는 요일에는 집 근처에 있는 미싱 학원에 갔다. 미싱학원에 가는 날에는 남편이 수아를 돌봤다. 서현은 미싱을 하면서 소진된 에너지가 차오르는 기분이 들었다. 서현은 미싱을 더 배우고 싶은 마음에 집에 미싱기를 들여놓았다. 서현은 수아와 함께 미싱에 사용할 예쁜 원단을 고르며 즐거운 시간을 보냈다. 처음에는 서툴렀지만, 시간이 지날수록 서현의 손끝에서 예쁜 작품들이 탄생했다. 드디어 서현은 가장 만들고 싶어 했던 가족 티셔츠를 만들었다. 가족 티셔츠를 입고 함께 여행을 떠났을 때, 서현은 행복한 마음이 들었다. 수아는 새 옷을 입고 신이 나서 뛰어다녔고, 남편은 서현이 만든 옷을 입고 최고의 명품이라며 칭찬했다. 서현은 이 모든 것이 꿈만 같았다.

서현은 가족이 함께하는 시간이야말로 가장 소중한 것인 것을 깨달았다. 그리고 그동안 힘들었던 시간이 있었기에 지금의 행복이 더욱 값진 것을 알았다. 서현은 앞으로 다가올 날들에 대한 기대감으로 가슴이 설레었다.

| 08 |

오감의 귀농

이유정

에세이

이유정

좋은 문장을 만나면 희열을 느꼈다. 글을 잘 쓰고 싶었지만, 맘처럼 되지 않았다. 순전히 나의 궁핍한 재능 때문이라 생각했다. 온전히 나의 게으름 때문이라는 사실을 이제는 안다. 그래서 지금은 자주 쓰고 많이 쓰려 노력한다. 단 한 문장이라도 누군가에게 작은 울림이 된다면 더없이 기쁠 것 같다.

보다

하늘엔 구름 한 점 없었다. 다음 계절로 페이지가 넘어가고 있었다. 느릿느릿 달리던 차들이 안성 휴게소를 지나자 속도를 내기 시작했다. 라디오에서 2NE1의 I Don't Care가 흘러나왔다. 딸아이 소율이가 조그맣고 귀여운 집게손가락을 코앞에 대고 유행하는 춤을 췄다.

"아 돈 께께께께께께"

"아 돈 께께께께께께"

발음도 음정도 동작도 하나같이 설 되었지만, 그 모습이 얼마나 사랑스럽던지 나는 그만 소율이의 볼을 "앙" 하고 깨물어 버렸다. 소율이는 무심한 표정으로 귀찮다는 듯 나를 밀어내고는 관심사를 창밖으로 돌렸다. 이렇게 먼 곳까지 차를 타고 오는 일은 처음이라 아이는 모든 것이 신기하고 새로운 것 같았다.

"저거 뭐야?"

"저거 뭐야?"

"저거 뭐야?"

소율이는 가장 많이 쓰는 공포의 두 단어를 소나기처럼 쏟아냈다. 그렇게 한참 질문 공세를 펴다 그 두 단어가 아닌 다른 말을 내뱉었다.

"와! 공룡 알이다!"

그 말에 나도 고개를 돌려 차창 밖을 보았다. 추수가 끝난 드넓은 논바닥의 민낯 위로 흰색 알약 같은 것이 가지런히 놓여있었다. 동글동글한 모양이 소율이 눈에는 공룡 알처럼 보였나 보다. 어떤 것은 숫자가 쓰여 있기도 했고 또 어떤 것은 색깔이 분홍색인 것도 있었다. 생경한 풍경이 한동안 이어졌다. 무엇인지 궁금했지만, 알 길이 없었다. 소율이는 공룡 알은 금세 잊고 한참을 더 조잘대더니 잠이 들었다. 그 모습을 가만히 보았다. 이 작은 아이의 미래가 우리에게 온전히 맡겨졌다고 생각하니 왈칵 두려움이 밀려왔다. 시골에서 아이를 잘 키울 수 있을까? 하는 생각도 들었다. 그렇게 무거운 마음을 품고 두어 시간을 달려 소란스럽던 햇살이 다소곳해질 때쯤 마을에 도착했다.

갈무리가 끝난 시골 마을은 연극을 마친 무대처럼 쓸쓸했다. 빈약한 논에는 잘려나간 모들이 듬성듬성 솟아나 있어 늦가을의 스산함을 더했다. 거의 다 도착했을 때쯤 트럭 한 대가 길을 막고 있었다. 논에서 무언가 작업을 하는지 트랙터 두 대가 굉음을 내며 분주하게 움직였다. 남편이 후진해서 돌아가려 여러 번 시도했지만 좁고 구불거리는 시골길을 후진으로 빠져나가는 게 쉽지 않았다. 우리는 곧 비켜 주겠지 하고 조금 기다려 보기로 했다. 그런데 그곳에서 공룡 알의 정체를 알 수 있었다. 바로 트랙터들이 그것을 만들고 있었던 거였다. 가까이서 본 공룡 알은 볏짚을 뭉쳐서 말아 놓은 원형 베일러였다. 커다란 트랙터가 논바닥에 볏짚들을 흡입하며 지나갔다. 그러길 한참 후 동그란 볏짚 뭉치를 엉덩이로 뿅하며 내보냈다. 그 뭉치를 또 다른 트랙터가 들어 올려 비닐로 돌돌 말아 바닥에 내려놓는다. 마치 거미가 여러 개의 다리로 먹이를 돌돌 마는 것처럼 보였다. 가까이서 보니 그 크기도 어마어마했다. 우리는 한참을 그렇게 넋 놓고 공룡 알이 생산되는 걸 지켜봤다. 아저씨가 우리를 발견하고는 미안한 듯 곧 끝난다고 손짓을 해 보였다.

공룡 알을 다시 만난 건 새로 지은 우리 축사에 소가 들어오기 일주일 전이었다. 원형 베일러를 다섯 개씩 이 층으로 쌓은 커다란 트럭이 축사 앞에 도착했다. 큰 집 한 채가 서 있는 것 같았다. 트럭이 도착하자 집게 달린 트랙터로 베일러를 하나씩 내려서 축사 뒤편에 가지런히 쌓았다. 하나의 무게가 500kg 정도 되는 베일러를 내릴 때마다 트랙터가 살짝 휘청거렸다. 그렇게 우리 집은 공룡 알로 만든 튼튼한 성에 둘러싸였다. 겨울 칼바람에도 끄떡없을 것처럼. 귀농은 나에게 공룡 알이다.

원형 베일러의 비닐을 벗기면 잘 익은 중국 술 냄새가 났다. 아마도 꽁꽁 쌓인 비닐 안에서 열이 발생하면서 발효되는 것 같았다. 사실 소들은 들판을 뛰어다니며 싱싱한 풀을 먹어야 한다. 그러나 방목하여 기를 수 없는 대부분 농장은 이렇게 가을에 수확한 볏짚을 보관했다가 사료와 함께 먹인다. 소들은 발효된 풀을 좋아했다. 새로 헐은 볏짚은 술 냄새가 진하고 수분기가 많아서 더 많이 먹었다. 새 김치통을 열어서 먹는 김치가 더 맛있듯 소도 그런가 보다. 소들은 긴 혀를 말아서 풀을 한 움큼씩 집어 먹었다. 마치 코끼리가 코로 물건을 집듯 말이다. 그 모습이 참 사랑스럽고도 애잔했다. 그렇게 해마다 성이 허물어지고 다시 생겨났다.

서울에서 살 때는 소가 무엇을 먹고사는지 관심이 없었다. 나 먹고사는 일이 바빠서 모든 것을 그냥 흘려보냈다. 하지만 지금은 안다. 나태주 시인의 시처럼 *자세히 보아야 예쁘다. 오래 보아야 사랑스럽다.* 귀농 후에야 얻은 소중한 깨달음이다. 그래서 나에게 귀농은 돋보기다. 들여다보면 모든 것이 추앙의 재료다.

듣다

서른여섯 마리의 아기 소들이 동시에 울어댔다. 그 울음소리가 시월의 차가운 공기를 가로질러 내 귀에 닿을 때마다 가슴 한편이 뻐근하게 아려왔다. 이런 순간을 상상도 못 했기에 나는 적잖이 당황했고 괴로웠다. 그 황홀하던 풀벌레 소리도 애처로운 울음에 가려졌다. 두 손으로 귀를 막아 보지만 다 허사였다. 우리 가족은 엄마를 찾아 서럽게 울고 있는 어린 송아지의 통곡을 관통해 밤을 꼬박 새웠다. 그렇게 사흘 밤낮이 지났다.

남편과 나는 소율이를 행복한 아이로 키우고 싶었다. 그래서 귀농을 결정했다. 어릴 때부터 경쟁 사회에 내몰린 아이들을 보면서 늘 가슴이 아팠다. 회색의 빌딩 숲에서보다는 초록의 자연에서 자라는 것이 소율이가 더 행복할 것 같았다. '하지만 직장 생활만 해

봤던 우리 부부가 시골에서 뭘 해서 먹고 산단 말인가!' 이런 생각을 하고 있을 무렵 시 할머님의 생신에 친척들이 다 모였다. 작은아버지는 소를 키우고 계셨는데 직장을 그만두고 싶다는 남편의 푸념을 그냥 지나치지 않았다. 소 키우는 게 제일 쉽다고 했다. 돈도 잘 번다고, 서울서 고생해봐야 여기 소 키우는 사람만 못하다고 너스레를 놓았다. 작은아버지는 미끼를 던져 본 것이고, 남편은 고것을 확 물어 본 것이었다.

남편은 강아지 한 마리 키워본 적 없었고, 심지어 이끼를 아주 아주 싫어한다. 그런 우리가 소를 키우는 농장을 운영하게 된 것이다. 그렇게 송아지도 울고, 나도 우는 날을 맞이하게 되었다.

소 키우는 것을 업으로 하면 보통 두 가지 선택지가 있다. 하나는 암소에게 인공수정을 시켜 송아지를 받아내 키우는 번식우고, 또 한 가지는 젖을 뗀 수송아지를 입식 해서 거세를 한 후 30개월 정도를 키운 다음 도축하는 것이다. 이것을 육성우라고 한다. 우리는 초보였기 때문에 밥만 주면 된다는 육성우 방식을 선택했다. 하지만 세상에 쉬운 일이 어디 있나.

가을에 입식 한 송아지들은 겨울이 되자 호흡기 질환을 달고 살았다. 그럴 때마다 수의사를 부르는 것은 엄청난 부담이 되었다. 그래서 남편은 자기보다 큰 송아지에게 주사를 놓으려고 하루에도 몇 시간씩 소들과 씨름을 했다. 그것뿐인가. 날이 조금씩 따뜻해지면 축사 주변으로 파리들이 어마어마하게 생겨났다. 멋모르고 문을 열어 놨다가는 집안에서 파리와 사투를 벌여야 했다. 소들은 정말 무지막지하게 먹고 무지막지하게 쌌다. 보통은 3개월에 한 번 정도 소똥을 치우는데 장마철엔 기압도 낮은 데다 3개월이 다 되어갈 즈음엔 그 냄새가 사람을 참 힘들게 했다. 마을에서 멀리 떨어져 있는데도 주변 하우스에서 민원이 들어오면 우리는 그날로 죄인처럼 고개를 처박고 다녔다. 소똥을 치우는 일은 또 얼마나 힘든지. 처음에만 해도 돈을 주고 소똥을 사 갔다, 시간이 지나니 돈은 주지 않지만, 소똥을 치워갔다. 조금 더 시간이 지나자 이젠 돈을 받고 치워갔다. 근데 지금은 돈을 준다 해도 치워줄 곳이 없다. 여행은 꿈도 못 꿨다. 고된 나날의 연속이었다. 생명을 키운다는 것의 엄중함을 우리는 온몸으로 체험했다. 행복한 상상을 했던 나의 귀농의 꿈은 그렇게 산산 조각났다.

그 후회의 결정타는 이것이었다. 소를 30개월 정도 키우면 출하가 시작된다. 소들은 자기의 운명을 예감이라도 하는 듯 며칠부터 잘 먹지를 않는다. 또 출하하는 날이 되면 도축장으로 가는 차에 타지 않으려고 발버둥을 친다. 그리고 그 울음소리는 인간에 대한 분노에 가깝다. 처음엔 뭣 모르고 그 모습을 지켜봤는데 한동안 마음이 너무 힘이 들었다. 그 후로는 출하하는 날엔 차라리 소율이를 데리고 외출을 했다. 그편이 죄책감이 덜 했다. 귀농은 나에게 소들의 통곡이다.

다시 시간을 되돌려 귀농 전으로 돌아간다면 나는 적어도 생명을 키우는 일은 업으로 삼지 않을 것 같다. 아니 어쩌면 귀농 자체를 하지 않을지도 모르겠다. 그냥 남들처럼 평범하게 도시에서 아이들 키우며 귀농에 대한 막연한 동경을 가지고 그렇게 살고 싶다.

맛보다

단단했던 여름이 말랑해지는 10월이 되면 텃밭의 풍경이 고개를 숙였다. 여름 내내 없던 입맛도 되살려내던 풍성한 고추밭도 기세가 꺾였다. 먹어도 먹어도 계속 매달려 있어 요술 나무인가 싶던 오이 넝쿨도 마법이 풀린 듯 잠잠했다. 가지도 열매만 많을 뿐 한 여름의 영광을 재현하지는 못했다. 토마토는 또 어떤가? 잎사귀들은 초록빛 기억을 뒤로한 채 노랗게 울어댔고, 붉은 푸른 토마토가 간신히 버틸 뿐이었다. 내가 가장 사랑했던 호박잎도 호박에게 후일을 맡기고 신음을 내며 전사했다. 이렇듯 나의 우월했던 텃밭은 서서히 물러날 채비를 했다. 하지만 그 물러남 중에도 여름의 곁자락을 맴도는 녀석이 있었다. 바로 들깨였다.

명주바람이 불어오는 초여름이었다. 여느 날과 다름없이 집 뒤편에 있는 텃밭에서 풀들과 한바탕 전쟁을 치르고 있었다. 어느 날은 '이놈의 풀들 씨를 다 말려 버리겠다' 하다가 또 어느 날은 풀매는 것이 마치 수행을 하는 것 같았다. 등 뒤에서 누가 부르는 목소리가 들렸다.

"어이, 새댁."

깜짝 놀라 뒤를 돌아보니 한마을에 사는 어르신이 검은 봉지 하나를 들고 서 계셨다. 우리 집 바로 옆에서 딸기 농사를 짓는 아주머니셨다. 크고 둥그런 얼굴에 눈이 작았고 웃을 때는 그 모양이 반달처럼 휘어져 사람을 참 푸근하게 해주는 분이셨다. 우리 집으로 가는 길에 그분의 딸기 하우스가 있었는데 볼 때마다 늘 일을 하고 계셨다. 나는 지나가다가도 아주머니가 보이면 꼭 차 문을 열고 크게 인사를 했다. 그럴 때마다 젊은 사람이 인사성이 바르다며 칭찬을 아끼지 않으셨다. 매번 아이들 먹이라고 딸기며 두릅이며 온갖 먹거리를 현관문 앞에 두고 가신다. 그런데 그날은 나를 부르신 거다.

"이거 오늘 밭에 설렁설렁 뿌리고 흙으로 살살 덮어놔아. 오늘 저녁에 비 온다니께 지금 꼭 뿌려야 돼야. 알긋제?"

"이게 뭐예요? 어르신?"

"이거 들깨여. 지금 심어야 장마 때 모종 허니께 오늘 꼭 뿌려야 돼야."

"감사합니다."

어르신 손에 검은 봉지가 내 손에 들렸고 어르신은 마치 축지

법을 쓰시는 듯 성큼성큼 딸기 하우스로 사라지셨다.

정말로 그날 저녁부터 비가 쏟아졌다. 10일쯤 지났을 때 새싹이 나왔다. 내심 씨를 너무 얕게 심어서 망친 것은 아닌지 적잖이 속이 상했는데 다행이었다. 비와 햇빛과 신선한 공기를 배부르게 먹은 들깨는 잘도 자랐다. 그 앞을 지날 때면 그 냄새가 얼마나 좋은지 이걸 향수로 개발해야 하나 하는 엉뚱한 상상을 하기도 했다. 어느새 시간은 초여름의 끝을 붙잡고 있었다.

장마가 시작되는 6월 중순이 되면 시골은 또 다른 이유로 분주하다. 5월부터 시작되는 모내기가 막바지에 이르지만, 그 일이 끝나고 나면 온갖 콩과 깨가 소란스럽게 자리 잡을 준비를 한다. 초보 농부인 나도 책으로 배운 실력을 뽐내기로 작심했다. 들깨는 옮겨 심어야 잘 자란단다. 장마가 시작된다는 뉴스를 접하고는 마음이 초조해졌다. 3일 내내 비가 온다는 첫날을 나는 D-DAY로 정하고 새벽부터 부산을 떨었다. 보슬보슬 비가 내렸다. 빽빽하게 자란 어린 모종을 세 포기씩 나누어 심기 시작했다. 나는 초보였기에 더디었고, 내 몸뚱이는 고생을 면치 못했다. 초여름이지만 두 시간쯤 모종을 심다 보니 추웠고, 다리가 움직이질 않았다. 아직 심지 못한 어린 들깨들이 아우성쳤다. 미안했지만 나는 살기로 마음먹고 모종을 팽개친 채 기어서 집으로 돌아왔다. 3일 내내 비가 왔고, 3일 내내 우리 집에서는 곡소리가 났다.

마트에서 파는 것 같은 들깻잎이 줄기에 달렸다. 너무 많이 달려서 놀랐고, 그 향이 진해서 또 놀랐고, 너무 맛있어서 놀랐다. 여름 내내 들깨는 우리에게 상추와 함께 쌈이 되어주었고, 호박과 함께 전이 되어주었고, 고추와 함께 튀김이 되어주었다. 깻잎장아찌와 깻잎 김치는 나에게 요리에 재능이 있는 것은 아닌지 감히 의심하게 했다. 나는 들깨와 여름 내내 뒹굴었다. 시간은 잘도 흘렀다. 그렇게 건들바람이 부는 가을이 되었다.

들깻잎이 흔들렸다. 들깨 냄새가 시끄럽게 재잘댔다. 흰색 꽃이 지고 나면 씨방에 들깨가 가득 차는데 그 작은 씨앗에서 이리도 커다란 냄새가 진동하는 것이었다. 꽃 모양은 마치 사루비아 같았다. 소가 뒷걸음치다 쥐를 잡는다고, 나의 첫 들깨 농사는 대풍년이었다. 지나가던 어르신들이 농사 잘 지었다고 칭찬을 하셨다. 그러면서 한마디 툭 던지셨다.

"빼시지기 전에 튀겨 봐. 끝내줘."

나는 잠깐 속으로 '아, 깻잎 튀김을 하라고 하시나 보다' 하고 "네 어르신 여름 내내 깻잎 튀김 엄청나게 먹었어요" 했다.

그랬더니 옆에 어르신이 '아이고 애송이야 요건 몰랐지?' 하는 표정으로 "꽃을 튀겨야 맛나지. 지금 아니면 못 먹어" 하셨다.

'꽃을 튀긴다고?' 순간 마음이 몽글몽글해지면서 참 서정적이란 생각이 들었다. 이런 건 바로 네이버에게 물어봐야지. 녹색창에 <들깨 꽃 튀김>을 검색했다. 정말 꽃을 튀겨먹는 거였다. 내가 누구인가? 낭만에 살고 낭만에 죽는 낭만 여사 아니던가!

아름 따온 꽃 덕분인지 고소한 냄새가 금세 집안을 점령했다. 우리 가족이 먹을 거라 농약은 치지 않았지만 그래도 깨끗하게 씻어 채반에 받쳐두고, 튀김가루는 조금 묽게 개어놓았다. 팬에 식용유를 넉넉하게 붓고 온도를 올렸다. 들깨 꽃 하나를 튀김옷을 묻혀 기름에 넣었다. 보글보글 거품을 내며 튀겨지는 꽃봉오리들이 어쩜 이리도 요염한지. 깻잎과의 로맨스는 잊은 채 나는 그만 꽃 튀김을 취하고 말았다. 입안에서 터지는 농축된 들깨 냄새와 빈틈없이 바삭거리는 식감이라니. 나는 그만 통통 튀어 올랐다.

나에게 귀농은 들깨 꽃 튀김이다.

짧은 시간, 딱 그 계절만 허락된 선명한 맛이 있다. 봄이 되면 향긋한 냉이가 솟아오르길 기대하고, 늦가을이 되면 들깨꽃 튀김을 먹을 날을 손꼽아 기다린다. 마치 사랑하는 사람을 기다리듯.

맡다

밤새 눈이 내렸는지 온 세상이 하얗게 변했다. 앞마당에 심어놓은 측백나무도 소복하게 쌓인 눈 때문에 토끼들이 웅크려 옹기종기 모인 듯 보였다. 추수가 끝난 드넓은 논도 저 멀리 보이는 창밖의 미륵산도 모두 다 하얬다. 겨울왕국이 있다면 바로 여기가 아닐까 하는 생각이 들었다. 아이들을 깨우려다 잠시만이라도 이 고요한 왕국을 독점하고 싶어서 외투를 입고 현관문을 나섰다. 문을 열자 차갑지만 달큰한 공기가 코끝을 스쳤다. 발밑을 보니 하얀 스티로폼 상자에 탐스럽고 빨간 딸기가 담뿍하게 담겨 있었다. 나는 단번에 누가 가져다 놓은 것인지 알 수 있었다. 우리 집 옆에는 아이들을 좋아하는 마음씨 좋은 천사가 산다. 바로 그분일 거다. 새하얀 겨울왕국에 새빨간 딸기라니 정말 완벽한 아침 아닌가!

완전하게 순결한 눈 내린 길을 한 번이라도 마주친 적이 있다면, 첫 발자국을 내는 일이 조금은 두려운 일이라는 걸 알 수 있다. 서울에 살 때는 아무리 일찍 일어나도 누군가가 먼저 걸어간 흔적이 있었다. 그런데 사람의 발길이 닿지 않은 길을 내가 걸어가고 있었던 거다. 나는 걸어가면서 백범 김구 선생님께서 자경 문으로 삼고 즐겨 쓰셨다는 시를 생각했다.

눈 덮인 들판을 걸어갈 때
함부로 어지럽게 걷지 말지어다
오늘 내가 디딘 발자국은
언젠가 뒷사람의 길이 되니라

어렴풋하게 좋은 말이라고만 생각했는데 내가 순백의 세상에 첫발을 디디려 해보니 정말 한발 한발 그냥 디딜 수가 없었다. 하우스로 가는 내내 내 발자국을 돌아보고 또 돌아봤다. 내 발자국이 겨울왕국의 오점으로 남지 않길 바라면서.

하우스에 도착하니 농익은 딸기 냄새가 진동했다. 인간의 기술이 아무리 발달한들 이런 향을 만들어 낼 수는 없을 것 같았다. 두 천사는 분주하게 딸기를 스티로폼 상자에 담고 있었다. 나를 보시더니 추운데 여긴 뭐하러 왔냐며 따뜻한 면박을 주셨다. 나는 따끈한 유자차가 담긴 보온병을 건네며 감사 인사를 전했다. 두 분은 유자차를 참 맛있게도 드셨다. 스티로폼 상자에 딸기를 담는 일은 아무 일도 아닌 것처럼 보여도 정성이 많이 가는 일이었다. 딸기 하나하나 상하지 않게 아기 다루듯 다루셨다. 조금만 힘을 줘도 여린 딸기 과육이 금방 물러진다고 했다. 마트에 소담스럽게 진열된 과일만 사 먹어 봤지, 이런 수고로움으로 우리 식탁까지 오는 것을 처음 알게 되었다. 나는 몇 개의 복스러운 딸기를 뭉그러뜨린 후 하우스에서 쫓겨나 집으로 돌아왔다. 상품성이 없다고 기어이 들려주신 딸기 한 상자를 더 들고서 말이다.

나는 5월의 초록을 좋아한다. 5월의 초록은 7, 8월과는 다르다. 연두부터 짙푸른 녹색까지 다채로운 초록이다. 그리고 이때쯤 불어오는 따뜻한 명주바람은 피부병도 낫게 한다는 약 바람이다. 5월이면 또 한 가지 선물 같은 시간이 내게 온다. 그것은 바로 딸기밭의 1일 점령자가 되는 것이다. 5월 말이 되면 기운을 다해 신맛이 높은 딸기가 열린다. 과육으로 출하하기에 상품성도 떨어지는 데다 한낮 하우스 온도가 40도에 육박하기 때문에 딸기를 수확하는 일이 여간 힘든 게 아니다. 다음 딸기 농사를 위해서 딸기 모를 다 뽑고 밭을 갈아엎는데, 그 전에 맘껏 딸기를 딸 기회를 얻게 되었다. 처음에 나는 그저 작은 소쿠리를 들고 하우스를 찾았었다. 두 천사는 작은 소쿠리를 보고는 코웃음을 치셨다. 사과 상자 두 짝을 주시며 여기에 가득 채워가라고 하셨다. 딸기 하우스는 숨이 막힐 정도로 열기가 달아올랐다. 탐스러운 딸기가 유혹의 향기를 풍기며 주렁주렁 매달려 있었다. 나는 탐욕스레 딸기를 땄다. 금세 그 큰 사과 상자가 가득 찼다. 땀으로 옷이 축축하게 젖었지만 정말 하나도 힘들지 않았다.

딸기를 가지고 집으로 돌아와서 씻고 다듬는 데 반나절이 걸렸다. 반은 냉동해서 얼리고 반은 딸기잼을 만들었다. 설탕을 조금만 넣어 만드는 거라 수분을 날리는 데 오랜 시간 공을 들였다. 기분 좋은 딸기향이 집안 가득 퍼졌다. 큰 곰솥으로 한가득 딸기를 끓였는데 딸기잼은 1/3이 되었다. 검붉은 딸기잼이 얼마나 맛났던지 학교에서 돌아온 아이들이 숟가락으로 다디단 딸기잼을 푹푹 퍼먹었다. 병에 담으니 열다섯 병을 담고도 남았다. 그날 이후로 아이들은 집에 오면 딸기잼 노래를 불렀다. 나는 아이들에게 백 점 아니 이백 점짜리 엄마가 되었다. 나에게 귀농은 딸기잼 냄새다.

여러 해 동안 아이들에게 엄마표 딸기잼을 무한 제공하는 호사를 누렸다. 지금은 두 천사도 연세가 많아져서 딸기 농사를 접으셨다. 하우스는 허물었고 벼농사를 지으신다. 이젠 바람 따라 불어오는 딸기 냄새도 냉동실에 가득 쟁여놓은 딸기도 없지만, 그때 그 따뜻한 마음은 늘 내 가슴속에 남아있다. 시골살이도 처음이거니와 친구 하나 없는 곳에 와서 참 많이 외로웠다. 생각해 보니 두 분 같은 천사들이 많아서 지금껏 이곳에 발 디디고 사는 게 아닐까? 돌아보면 모든 게 감사고 은혜다. 내가 싸다 드리는 김밥과 팥죽을 아주 좋아하셨는데, 내일은 그때 그 감사한 마음을 담아 오랜만에 솜씨를 발휘해야겠다. 동그랗게 웃으실 두 천사의 미소가 벌써부터 포근하다.

느끼다

아직은 해가 물렁 한 새벽이었다. 웅크린 그림자 하나가 가만히 들썩였다. 고요한 텃밭에선 호미질 소리만 요란했다. 아주 잠깐씩 울음인지 혼자 말인지 모를 소리가 새어 나왔다. 엄마는 그렇게 아빠를 잃은 슬픔을 우걱우걱 삼키고 있었다. 마르게 통곡하는 엄마를 두고 집으로 들어왔다. 욕조에 따뜻한 물을 받았다. 그리고 반신욕을 준비했다. 내가 힘들 때마다 처방하는 슬픔 해법이었다. 엄마의 단단한 슬픔이 따뜻한 물에 불어서 각질처럼 사라지길 바랐다. 30분쯤 지나자 엄마가 들어오셨다. 눈시울이 약간 붉어져 있었다. 나는 나의 슬픔 해법을 처방했고, 엄마는 조금 편안해지신 듯 보였다.

유리컵이 바닥에 내리꽂혔다. 와장창 파열음을 내며 파편이 사방으로 날아갔다. 그중 하나가 내 눈 옆을 아슬하게 할퀴고 지나갔다. 짧은 비명과 함께 나는 두 손으로 얼굴을 감싸 쥔 채 주저앉았다. 너무 놀라 눈물이 났다. 두려워 손이 떨렸다. 파편은 끝내 여린 내 살을 베었다. 붉은 피가 볼을 타고 흘러내렸다. 엄마 아빠는 그제 서야 격렬했던 전투를 끝냈다. 내 나이 겨우 아홉 살이었다. 상처가 깊지 않아 흉터가 남지는 않았다. 하지만 나는 그 상처가 여전히 쓰리고 아프다.

부모님은 고등학교 동창이었다. 자주 싸웠고 집 안에 있는 살림들은 남아나질 않았다. 아직 여물지 않은 어린 자식들은 두려움에 떨며 방구석에 웅크려 그저 흐느껴 울기만 했다. 할 수 있는 게 없었다. 그저 무기력한 그 시간이 빨리 소멸하기를 바랐다. 엄마 아빠는 서로를 선택해서 불행해 보였다. 아빠의 사업이 무너져 내려 우리의 형편이 더욱 어려워졌을 때 그 불행은 온 가족에게 전염되었다. 아빠는 술이 유일한 안식처였고, 엄마는 그런 아빠를 미워하면서도 옆을 지켰다. 우유부단하고 세상 물정 모르는 아빠가 원망스러웠다. 그리고 우리 때문에 참고 사는 엄마가 안쓰러워 아팠다. 이 모든 것에서 벗어나는 것이 나의 유일한 목표였다. 그 목표는 내가 대학교에 가면서 이루어졌다. 한동안 나는 집을 외면하며 살았다. 졸업하고 취직을 하고 결혼할 나이가 될 때까지도 나는 그냥 엄마 아빠의 손님이었다. 세월이 성큼성큼 걷는 동안 나도 두 아이의 엄마가 되었다. 그제야 남루해진 두 분의 모습이 눈에 들어왔다. 가슴이 아렸다. 하지만 어린 시절 그 상처들은 끝내 두 분을 외면하는 쪽으로 나를 몰아세웠다. 나는 그저 자식 된 도리만 하기로 내 마음을 내어주는 일 따위는 하지 않기로 했다.

아빠가 담낭암 말기라고 했다. 병원에서는 수술도 어렵고 항암 치료도 어렵다고, 길어야 1년 정도 사실 수 있다고 했다. 나는 그 얘기를 듣는데도 슬프지 않았다. 매달 정기적으로 병원을 모시고 가는 일은 내 몫이 되었다. 나를 보며 미소짓는 것도, 불편한 걸음걸이도 모든 것이 짜증스러웠다. 단 한 번의 살가운 말도 건네지 않았다. 어린 시절의 내 상처만 보느라 서서히 죽어가는 아빠를 나는 방관했다. 그것이 당신이 내게 준 상처에 대한 응당한 대가라고 나는 감히 생각했다.

그렇게 아빠가 하늘나라로 가셨다. 끝내 난 나쁜 딸이 되었다. 장례식장에서도 소리 내어 울지 못했다. 따뜻하게 한번 웃어드릴 걸, 너무 늦어버린 후회만 남았다. 생각해 보면 아빠는 나를 유독 예뻐하셨다. 어린 시절 내 손을 잡고 여기저기 자랑 다니시는 게 낙이었다. 엄마와 투덕거렸던 것이지 자식들에겐 따뜻했던 분이다. 그런 아빠를 나는 평생 너무 외롭게 했었다. 엄마도 나와 같은 후회를 하고 계신 거였으리라. 아무리 미워도 60년을 함께했는데 그 상실감이야 오죽할까?

축사 옆 작은 공간에 우리 집이 들어설 계획이었다. 남편은 나에게 어떤 집을 지었으면 좋겠냐고 물었다. 유독 추위를 타는 나는 세 가지를 부탁했다. 첫 번째는 창이 커서 해가 잘 들면 좋겠다고 했다. 두 번째는 단열이 잘 돼서 겨울에 따뜻했으면 좋겠다고 했다. 마지막은 내가 반신욕을 하고 싶을 때 언제든 할 수 있는 욕조가 있었으면 좋겠다고 했다. 남편은 약속을 잘 지켰고, 그렇게 나만의 첫 번째 욕조를 갖게 되었다.

나는 화가 나거나 슬프거나 지칠 때 욕조에 따뜻한 물을 받아 반신욕을 했다. 물의 온도는 42도 정도로 조금 뜨겁게 하고, 향초에도 불을 붙인다. 그리고 핸드폰에 있는 음악을 켜면 그곳이 낙원이었다. 따뜻한 물에는 알 수 없는 마력이 있다. 언제든 나를 삼킬 듯한 감정들을 무력화시켰다. 아빠가 돌아가신 후 부쩍 따뜻한 물을 받는 날이 많았다. 긴 시간을 욕조 안에서 들썩였다. 어떤 슬픔은 너무 견고해서 쉽게 녹여지지 않았다.

욕조에 앉아 바라보는 곳에는 창이 하나 있다. 창밖에는 감나무가 서 있었는데 그 가지 하나가 창문을 쓰다듬듯 지나갔다. 여름이면 울창한 잎과 설익은 연녹색의 감이 매달렸다. 가을이 되면 그 감이 봉숭아 물을 들인 것 같은 주홍이 되었다. 겨울에는 앙상한 가지가 소복하게 쌓인 눈과 뒹굴었고, 봄이 되면 다시 파릇한 새싹이 돋았다. 욕조 안에서 바라보는 창밖의 풍경은 나에게 온전한 사계절을 주었다. 그래서 나에게 귀농은 반신욕의 따뜻함이다.

사람은 누구나 자기만의 방이 필요하다. 나만의 방은 욕실이다. 나는 따뜻한 물이 가득 담긴 욕조에 들어가 사색하고 음악도 듣고 오디오북도 듣는다. 그러면 가끔 덜컹대는 날이 오더라도 무너지지 않고 견뎌낼 힘이 생긴다. 귀농해서 집을 지었고, 나만의 방인 욕조가 있는 욕실이 생겼다. 반신욕 하기 좋은 겨울이 몰려오고 있다. 더 욕심낼 일이 무엇이겠는가!

| 09 |

그녀, 셋째 딸

천향

소설

천향

천향은 책을 사랑하는 마음으로 가득 찬 소설가입니다. 서점과 도서관에 갈 때마다 마치 숨겨진 보물을 발견한 듯 두 눈을 반짝이며, 시간 가는 줄도 모르고 책 속에서 기쁨을 느낍니다. 책을 통해 세상을 탐험하고, 글쓰기를 통해 그 감정들을 진솔하게 풀어내며 독자들과 소통하려 합니다. 은퇴 후에는 하루 종일 책을 읽고, 쓰며 보내는 그녀만의 작은 꿈을 소중히 간직하고 있습니다. 이번 책을 통해 독자들과 따뜻한 공감을 나누고, 앞으로도 삶의 소소한 행복과 고민을 섬세하게 그려낼 예정입니다.

그녀, 셋째 딸

삶의 무게

아직은 시린 공기가 차갑게 스며드는 2024년 2월의 어느 날, 은서는 아버지의 죽음을 맞이했다. 오랜 세월 파킨슨병으로 고통받아 온 아버지는 집안에서나마 조금씩 움직일 수 있었지만, 일 년 전부터는 그마저도 힘겨워져 누군가의 손길 없이는 거동조차 할 수 없게 되었다.

"아버지가…… 돌아가셨어." 지방에 살던 그녀는 구정에도 시댁에 머무르느라 친정에 가지 못했고, 그 와중에 날아든 비보에 망연자실했다. 전화기 너머로 들려오는 어머니의 흐느끼는 목소리는 은서의 세상을 순식간에 무너뜨렸다. 세상이 갑자기 멈춰 선 듯, 주변의 모든 소리가 사라지고 눈앞이 어지러웠다. 아버지는 평생을 구두쇠처럼 검소하게 살았다. 입을 것 안 입고, 먹을 것 안 먹으며, 아내와 함께 시장에서 만 원짜리 족발을 사 먹는 것조차 사치로 여기던 그였다. 그런 그가 하필이면 은서가 친정에 가지 못한 그날 갑작스럽게 세상을 떠났다는 사실이 그녀의 마음을 헤집으며 아프게 했다.

이십여 년 전, 파킨슨병이 아버지를 서서히 잠식해 가면서 한때 건장했던 그의 체구는 겨울을 맞이한 나뭇가지처럼 앙상해져 갔다. 은서가 기억하던 강인한 아버지의 모습은 희미해졌다. 그의 손은 바람에 흔들리는 나뭇잎처럼 미세하게 떨렸고, 그 움직임은 그조차도 통제할 수 없었다. 결국 깔끔했던 아버지도 병 앞에서는 어쩔 수 없었다. 그의 입에 들어가는 것보다 흘리는 것이 더 많아졌고, 그마저도 여의찮아 곧 아기처럼 떠먹여 주어야만 했다. 유일하게 그의 눈만은 여전히 예리했지만, 그 시선은 늘 어딘가를 뚫어지게 바라보면서도 동시에 먼 곳을 향한 아련한 감정을 담고 있었다. 그는 마치 과거와 현재 사이에서 길을 잃은 사람처럼 저 너머의 무언가를 애타게 찾고 있는 듯했다.

아버지는 늘 아들을 각별히 여겼지만, 마지막 순간에 아내에게 남긴 말은 뜻밖이었다.

"착하고 인정 많은 셋째 딸 곁에 있어라." 그 말을 남기고 그는 조용히 눈을 감고 먼 길을 떠났다. 이제 은서의 어머니는 남편이 남긴 건물의 주인이 되었다. 그러나 은서는 어머니가 일흔이 넘은 나이에도 아파트 청소 일을 알아보러 다녔다는 소식을 듣고 경악을 금치 못했다.

7월의 찌는 듯한 더위 속에서도 아버지의 긴 병시중이 끝나자, 무언가를 해야만 했던 어머니의 모습에서 은서는 사람들의 삶의 무게를 다시금 절감했다. 그 무게는 그녀에게 무겁게 다가왔고, 어머니의 고단한 인생은 은서의 가슴 속 깊숙이 파고들어 뼛속까지 시리게 했다.

은서의 삶은 태어날 때부터 공평하지 않았다. 그녀가 태어난 날, 아버지는 사흘간 일을 쉬며 집에만 누워있었다. 너무 큰 실망감에 일하러 갈 힘도, 한 줄기 희망마저도 모두 사라져 버렸기 때문이었으리라. 이번에는 꼭 아들이기를 간절히 바랐던 그의 기대와는 달리 셋째 딸이 태어났다. 구로동의 한 오래된 집에서 산파의 손길에 의해 세상에 나와 울어 젖히는 은서를 보며, 외할머니는 다급히 아버지를 달래려 했다. "눈썹이 어쩜 이리도 붓으로 그린 것처럼 예쁘냐?" 하지만 그 말조차도 아버지에게는 아무런 위안이 되지 않았다. 아버지의 표정은 여전히 어두웠고, 이를 눈치챈 외할머니는 한층 더 큰 목소리로 말했다. "그런데 잘한 거 하나도 없으니 울지 마라." 그 말은 은서에게, 그리고 어쩌면 그녀의 아버지에게도 던진 말인지 모른다. 가난한 집안의 셋째 딸로 태어난 은서는 그렇게 환영받지 못한 존재로 세상에 첫발을 내디뎠다. 그녀는 그저 태어난 것만으로도 이미 죄인이 되어 있었다. 실망은 그저 아버지에게서만 비롯된 것이 아니었다. 심지어 친할아버지조차 은서의 출생에 큰 실망을 느꼈는지 이름조차 지어주지 않았다. 그래서 은서의 부모는 어쩔 수 없이 둘째 딸 은신의 이름에 작대기 하나를 더하고 빼서, '서(書)'를 넣어 '은서(銀書)'라 이름 지었다. 이름의 비화는 그랬지만 '은서'라는 이름은 지혜와 학문을 소중히 여기며, 귀중한 가치를 지닌 사람으로 자라길 바라는 의미를 담고 있었다. 하지만 이름이 주는 기대와는 달리 은서의 어린 시절은 그런 소망과는 거리가 멀었다. 시간이 흘러 3년이 지나서야 가족들에게 인정받을 만한 일을 하나 해냈다. 바로 '터를 잘 팔아' 아래로 남동생 은찬을 데려온 것이었다. 그런데도 그녀의 위치는 여전히 집안에서 가장 낮은 곳에 머물렀다. 여전히 그늘 속에서 무시당하는 존재로 남아 있었다.

 # 노란색 꽃무늬 원피스와 불안의 그림자

은서에게 새 옷은 그리움과 두려움이 얽힌 복잡한 감정을 불러일으켰다. 어머니는 가끔 시장에서 자식들에게 새 옷을 사주곤 했다. 한 번에 네 명 모두에게 새 옷을 사줄 수는 없었기에 어머니는 순서를 정해 돌아가며 새 옷을 건넸다. 은서는 언제나 그 차례가 오기를 손꼽아 기다리면서도 막상 새 옷을 받을 때마다 마음속에 알 수 없는 불안이 함께 피어올랐다.

어느 날, 학교에서 돌아온 은서는 방 한가운데에 가지런히 놓인 새 옷을 발견하고 꿈을 꾸는 듯했다. 예쁜 꽃무늬가 그려진 노란 색감의 원피스는 눈부시게 아름다웠다. 은서는 조심스럽게 옷을 들어 올려 그 부드러운 감촉을 느꼈다. 원피스에 그려진 은은한 꽃무늬는 어머니의 사랑이 옷 속에 고스란히 스며든 듯 보였다. 벅찬 마음을 감출 수 없어 그녀는 곧장 어머니에게 달려갔다. “이 옷 정말 제 거예요?” 어머니는 따뜻한 미소를 지으며 고개를 끄덕였다.

“그래, 우리 은서 거야. 예쁘게 입고 다니렴.” 그 말을 듣자, 은서는 마음이 몹시 설레어 어쩔 줄 몰랐다. 늘 은희와 은신의 낡은 옷을 물려받던 자신에게 이토록 곱고 아름다운 옷이 생겼다는 사실이 믿기지 않았다. 그 순간 그녀의 세상은 밝아진 듯했다. 저녁을 먹고 난 뒤 은서는 방에서 조심스럽게 원피스를 입어 보았다. 마치 옷이 닳기라도 할까 봐 천천히 손끝으로 매만지며 입은 뒤, 그녀는 거울 앞에 섰다. 거울 속에 비친 자신을 보며 은서는 다른 사람이 된 듯한 기분을 느꼈고, 그 모습이 마냥 낯설면서도 설렜다. 그러나 불행히도 그 기쁨은 오래가지 않았다. 그날 밤, 부엌에서 들려오는 낮은 목소리가 그녀의 귀에 스며들었다. 아버지와 어머니의 대화는 점점 격해지더니 결국 언성이 높아졌다. 은서는 가슴이 조여오는 듯한 불안을 느꼈다. 그날의 다툼은 다름 아닌 새 옷 때문이었다. 아버지의 목소리는 엄격하고 차가웠다. 돈을 아껴야 한다며 어머니를 질책했고, 어머니는 아이들을 위해서는 어쩔 수 없었다고 변명했다. 그녀는 이불 속에서 몸을 움츠리며 귀를 막아 보았지만, 싸움의 소리는 쉽게 잦아들지 않았다. 눈앞에 놓인 예쁜 원피스가 자신의 잘못이라도 되는 듯 무거운 죄책감이 은서를 짓눌렀다. 어머니의 따뜻한 마음이 담긴 옷이었지만, 그와 동시에 아버지의 분노가 더해지면서 그녀의 마음은 어둡게 가라앉았다. 그날 이후로 새 옷은 은서에게 기쁨이면서 동시에 불안을 안겨주는 상징이 되어버렸다.

그로부터 얼마 지나지 않아, 초등학교 2학년인 은서는 담임선생님이 내준 준비물을 챙기지 못했다. 그러나 은서가 단순히 잊어버려서 준비물을 안 가져온 것은 아니었다. 그녀의 마음속에는 뚜렷한 기억이 하나 자리 잡고 있었다. 학기 초반 어머니가 언니 은희의 멜로디언을 사준 뒤 아버지와 크게 다투는 소리를 들었던 기억이 은서의 마음에 깊이 남아 있었다. 어린 그녀에게는 준비물조차 큰돈으로 여겨졌다. 그 이후로 은서는 부모님의 다툼을 줄여보고자 자신만이라도 준비물에 관해서는 입을 꾹 다물었다. 아침마다 가방을 메고 학교에 갈 때 그녀의 가방 속은 텅 비어 있었다. 교실에서 다른 아이들이 가방에서 준비물을 꺼낼 때, 은서는 그저 자신의 애꿎은 손가락만 만지작거렸다. 교실의 소음 속에서도 그녀는 혼자만 다른 세계에 있는 듯 조용히 앉아 있었다. 그런 모습을 본 짝꿍은 자신의 준비물을 슬며시 은서의 책상에 놓아주곤 했다. 말없이 전해지는 그 작은 배려는 그녀에게 큰 위로가 되었다. 그러나 짝꿍은 준비물을 챙겨오지 않았다고 선생님에게 자주 혼이 나야만 했다. 짝꿍이 야단을 맞을 때마다 은서는 미안함과 죄책감에 휩싸였지만, 어머니에게 준비물을 사 달라는 말을 차마 꺼낼 수는 없었다. 그녀에게는 그저 부모님의 다툼을 막는 것이 중요했고, 이를 위해서라면 자신이 조금 불편해지는 것쯤은 참을 수 있다고 생각했다.

은서의 현실은 팍팍했지만, 그녀는 책 속에서만큼은 자유로웠다. 1980년대 작은 학교에서 새롭고 흥미로운 책을 구경하기란 드문 일이었다. 학교 도서관에는 낡고 오래된 책들이 대부분이었고, 동네에는 도서관조차 찾아볼 수 없었다. 그러던 중, 반장이 매일 가방에 넣고 다니던 색감이 선명하고 그림이 가득한 책 한 권이 은서의 눈길을 끌었다.

어느 날, 반장이 그 책을 건네며 말했다. "이거 정말 재미있어. 너도 한번 읽어봐." 은서는 잠시 망설였지만, 결국 반장이 내민 책을 받았다. 손끝에 닿은 책의 감촉은 부드럽고도 묵직했으며, 반짝이는 표지와 정교하게 그려진 그림들은 그녀를 단숨에 사로잡았다.

그날 밤, 은서는 잠도 잊은 채 책을 읽어 내려갔다. 이야기는 눈앞에서 춤을 추듯 생생하게 펼쳐졌고, 현실의 무거움에서 벗어나 다른 세계로 빠져드는 기분이었다. 잠시나마 그 세계는 그녀에게 무한한 자유와 상상력을 선물해 주었다.

그러나 다음 날 아침, 책을 반장에게 돌려주며 은서는 속으로 되뇌었다. '다시는 책을 빌리지 말아야지.' 반장의 책은 매력적이었지만, 동시에 두려움도 일었다. 그 아름다운 책에 빠져들어 더 많은 책을 읽고 싶은 욕심이 생길까 봐, 혹시라도 그 욕심에 사로잡혀 부모님에게 부담을 주게 될까 봐 은서는 애써 그 마음을 눌렀다. 책을 향한 순수한 간절함을 가슴속 깊이 묻어두기로 한 은서는 자신의 작은 세상 속에서 조심스레 그 간절한 바람을 숨기며 성장해 나갔다.

 # 아버지 양복의 슬픔

뜨거운 태양이 머리 위에서 내리쬐며 공기를 짓누르는 어느 여름날 하늘은 구름 한 점 없이 맑았다. 아스팔트는 발밑에서 열기를 내뿜고, 마른 풀밭 위에서 작은 벌레들이 힘겹게 기어다녔다. 땀방울이 이마에서 흘러내려 은서의 얼굴을 타고 미끄러졌다.

언덕 아래에서 낯익으면서도 어딘가 모르게 달라진 얼굴이 천천히 올라오는 모습이 그녀의 시야에 들어왔다. 그 사람은 다름 아닌 아버지였다. 개인택시를 하던 아버지가 평소와 달리 양복을 차려입고 힘겹게 언덕을 오르고 있었다. 은서의 마음은 순간 무거워졌다.

"아버지, 무슨 일이세요?" 은서의 목소리는 가늘게 떨렸다. 아버지는 가쁜 숨을 고르며 답했다. "너 담임선생님 좀 뵈려고……
인문계 고등학교로 바꿔 달라고 부탁드리려고." 이 말을 듣는 순
간, 은서는 복잡한 감정에 휩싸였다. 이 순간이 오기만을 그렇게도
기다렸지만, 가슴은 찢어질 듯 아팠다. 머리 위로 쏟아질 것만 같
은 기쁨이 밀려왔지만, 양복 입은 아버지의 모습을 보자 기쁨 대신
슬픔이 가슴 깊이 스며들었다. '나 때문에 아버지가 정말 이렇게까
지 해야 하는 걸까?' 아버지의 주름진 얼굴에 드리운 그늘을 보자,
은서는 말할 수 없는 막막함과 죄책감에 사로잡혔다.

은서는 실업계 고등학교를 공부를 포기한 아이들이나 소위 '문
제아'들이 가는 곳인 줄로만 알았다. 늘 반에서 1등을 차지하는 언
니들, 은희와 은신과는 달리 은서는 공부에 큰 흥미를 느끼지는 못
했다. 몸이 약해 자주 현기증을 느꼈고, 멀미도 심해 차도 오래 타
지 못할 정도로 건강이 좋지 않았다. 그래도 늘 반에서 10등 정도
의 성적은 유지했기에 공부는 언제든 마음만 먹으면 잘할 수 있을
거라 막연히 믿고 있었다. 그래서 자신도 언니들과 친구들처럼 당
연히 인문계 고등학교에 진학할 것으로 생각했다. 그러나 그 믿음
은 담임선생님의 한마디로 산산이 부서졌다. 학부모 상담에서 부
모님이 실업계 고등학교를 원한다고 말한 것이다. 그 말을 듣고 은
서는 소중한 기회를 누군가에게 빼앗긴 듯한 기분에 사로잡혔다.
그날 이후로 매일 밤 울며 잠들었고, 밥도 제대로 먹지 못했다.

"이러다 애가 병나겠어요." 어머니가 걱정스럽게 말했다. "냉정

하게 생각해 봐요. 지금 우리 형편에 자식 넷을 다 대학 보낼 수 있겠어요?" 어머니의 설득에도 아버지의 마음은 굳건했다.

그러나 시간이 흐르자, 아버지도 상황이 심상치 않음을 느꼈는지 결국 담임선생님을 만나러 가는 길에 은서와 마주쳤다. '아버지가 하루만 더 일찍 오셨더라면……' 그 순간 은서는 뼈아픈 후회 속에 오히려 자신을 탓했다. 그날은 은서와 다른 학생 한 명이 대표로 실업계 고등학교에 원서를 제출하러 가는 날이었다. 모든 걸 되돌리기에는 이미 너무 늦어버렸고, 아버지가 평소 얼음처럼 차가운 담임선생님에게서 듣게 될 말들이 그녀의 머릿속에 생생하게 그려졌다. 그래서 은서는 아버지를 향해 어쩔 수 없이 "괜찮아요. 거기 가서 제가 더 열심히 해볼게요"라고 오히려 위로의 말을 건넸다. 진심과는 달리 아버지를 안심시키기 위해 애써 웃어 보이면서 말이다.

희망을 묻어둔 선택

은서의 삶은 끊임없는 희생과 체념의 연속이었다. 어린 시절부터 가족의 기대와 사회적 압력 속에서 자신을 억누르며 살아온 그녀에게도 한때 소중히 간직했던 꿈이 있었다. 바로 소설가가 되는 꿈이었다. 책을 읽을 때마다 느꼈던 설렘과 마음속 깊이 품고 있던 이야기들을 세상에 내놓고 싶다는 갈망은 항상 가슴속에 자리하고 있었다. 하지만 그 꿈은 가족과 주변의 요구 속에서 묻혀갔다.

어느 날, 담임선생님은 학생들에게 장래 희망을 적어 오라는 숙제를 내주었다. 은서는 책상 앞에 앉아 텅 빈 종이를 바라보며 펜을 들지 못했다. 진정으로 원하는 꿈을 적을 용기가 차마 없었다. 손끝에 잡은 펜은 갈피를 잡지 못하고 이리저리 흔들렸지만, 마음 한구석에는 소설가의 꿈이 여전히 자리하고 있었다. 다른 꿈을 적어 내려가려니 어색했다. 결국 망설이다가 종이 위에 '소설가'라고 적었다. 숙제를 본 아버지는 은서의 글을 읽고는 눈도 마주치지 않은 채 차갑게 말했다. "네가 되고 싶은 게 소설가니? 그걸로는 밥 굶기 딱 좋겠다." 아버지의 냉담한 반응에 그녀는 꿈을 말하는 것조차 사치라는 것을 알게 되었다. 자신이 쓴 글이 어딘가 크게 잘못된 것처럼 느껴지기 시작했다. 터져 나오려는 눈물은 간신히 참았지만, 가슴 깊은 곳에서 무언가가 와르르 무너져 내리는 소리가 귓가에 울리는 듯했다.

고등학교를 전액 장학생으로 졸업하자마자 은서는 법원에서 10급 사무원으로 일하게 되었다. 항상 성실하고 책임감 있는 태도로 업무에 임한 그녀의 모습은 인사 담당자의 눈에 띄었다. 인사 담당자는 은서에게 대학에 진학해 공부를 계속하라는 조언을 아끼지 않았지만, 은서는 자기 삶을 자유롭게 선택할 수 있는 위치에 있지 않았다. 그 시절 은서의 큰언니 은희는 스물세 살의 나이에 집안에서 가장 고학력자이면서 영향력 있는 인물이 되었다. 대학을 졸업하기도 전에 7급 공무원 시험에 합격한 은희는 가족의 자랑이었고, 그녀의 말 한 마디가 집안의 중요한 결정을 좌우했다. 그런 은희 앞에서 은서는 대학 진학에 대한 꿈을 조심스럽게 꺼냈다. 입 안이 바짝 마르고 말문이 쉽게 열리지 않았지만, 용기를 내어 말했다. "언니, 나 대학에 가고 싶어." 그러나 은희는 단호하게 대답했다. "그렇게 대학에 다니고 싶다면 집 앞에 있는 전문대학 컴퓨터공학과로 가는 게 좋겠어. 집에서 통학하기도 편하고, 취업도 잘 될 테니까." 은서는 망설이며 희미한 목소리로 말했다. "근데 언니, 난 좀 더 준비해서 내가 원하는 대학에 가고 싶어." 은희는 대답 대신 차가운 눈빛으로 은서를 가만히 내려다보았다. 그 눈빛은 은서가 어리석다고 말하는 것 같았다. "네가 아직 세상을 몰라서 그래." 은희의 냉정한 목소리는 은서의 말문을 막아버렸다. 은희는 이미 결론을 내린 듯 고개를 돌렸다. 그녀의 태도는 이 대화가 더는 이어질 필요가 없다는 것을 암시했다. 이미 명문대를 나와 공무원이 된 은희에게는 학력이 크게 중요하지 않았고, 집안 사정도 고려한 나름 현실적이고 합리적인 방안이었으리라. 그러나 은서에게는 일방적으로 끝나버린 그 짧은 대화가 마음에 남긴 흔적은 깊었다. 처음으로 무언가에 도전해 보고 싶은 마음이 간절했다. 법원에서 일하며 재수 학원에 다니고, 자신만의 길을 개척하고 싶었다. 그 꿈은 작지만 은서에게는 처음으로 가진 소망이었다. 그러나 아버지는 은희의 조언대로 은서의 의지와는 상관없이 어머니에게 등록금을 내게 했다. 결국 은서에게 주어진 선택은 자신의 희망을 포기하는 것이었고, 그 희망은 다시 그녀의 마음속 깊이 묻히고 말았다.

더군다나 은서가 다니고 있던 법원도 은희의 친구 지혜가 직장과 학업을 병행하다가 결국 둘 다 포기했다는 소식이 전해지면서, 은서의 사직은 이미 결정된 것이나 다름없었다. 그녀의 마음속에서는 작은 저항이 꿈틀거렸지만, 어머니의 설득 앞에서는 무력해질 수밖에 없었다.

"은서야." 어머니는 그녀의 손을 따뜻하게 감싸며 부드럽게 말을 건넸다. 그 목소리에는 다정함이 묻어났지만, 그 속에 담긴 뜻은 명확했다. "너도 괜히 무리하다가 지혜 언니처럼 되면 어쩌니? 큰언니 말대로 우선 학교만 다니면서 공부에 집중해서 취업은 졸업 후에 하는 게 좋을 것 같구나." 은서는 숨을 깊이 들이마신 후 조심스럽게 말을 꺼냈다. "저는 정말 제대로 공부해서 대학에 가고 싶어요. 인문계 다닌 친구들은 3년을 준비하지만, 저는 몇 달밖에 준비하지 못해서 너무 속상해요. 법원에 계속 다니면서 학원은 퇴근 후에 다녀볼게요. 저 정말 열심히 해보고 싶어요." 그러나 어머니는 고개를 가로저었다. "지혜 언니가 그렇게 하다가 병났잖니? 그리고 큰언니 봐라. 명문대가 다 무슨 소용이니? 큰언니가 다 너를 생각해서 해주는 말이잖아. 우리 착하고 예쁜 셋째 딸, 큰언니 말대로 했으면 좋겠다. 아버지도 그러길 바라시고." 은서는 한 번 더 힘겹게 말해 보았다. "그렇지만……" 하지만 어머니는 더는 은서의 이야기를 듣지 않았다. "알겠지? 아버지한테도 그렇게 말씀드릴게." 이미 결정을 내린 듯한 어머니의 모습에 은서는 가슴 속에 맺힌 못다 한 말들을 또다시 삼켜야 했고, 끝내 입을 다물고 말았다.

그런데도 은서는 대학 생활에 잘 적응했다. 캠퍼스에서의 시간은 그녀에게 새로운 도전과 성장의 기회였다. 다행히도 컴퓨터는 적성에 잘 맞았다. 수업마다 호기심을 가지고 임한 덕분에 수석으로 졸업하는 영광도 안게 되었다. 그러나 졸업 후에도 은서의 선택에는 여전히 가족의 기대가 그녀의 선택을 묶어놓았다. 대기업 몇 군데에 지원했던 은서는 합격 통보를 받았다. 이 소식에 가족들은 크게 기뻐했지만, 그 기쁨은 곧 간섭으로 이어졌다.

"전산직? 그거 야근도 많고 힘들 텐데. 그리고 시집갈 때도 그 회사 총무팀이 더 낫지 않아?" 아버지가 한마디 하셨다. 어머니도 거들었다. "아버지 말씀이 맞아. 여자들이 일하기엔 총무팀이 더 안정적이야. 또 그 회사가 얼마나 유명한데? 네 장래에도 더 좋을 거야."

사실 은서의 마음은 이미 정해져 있었다. 전공도 살리고, 무엇보다 면접 때 만났던 여자 이사가 있는 전산직이 더 마음에 들었다. 그곳에서 열심히 일해서 언젠가는 자신도 실력을 인정받아 임원이 되고 싶은 바람이 있었다. 하지만 가족들의 의견을 무시할 수 없었던 은서는 결국 여자 임원이라고는 '단 한 명도 없는' 대기업

총무팀에 입사하게 되었다.

입사 후 얼마 지나지 않아 예상치 못한 일이 발생했다. 자재부 여직원이 해외 어학연수를 위해 퇴사하면서 은서는 갑작스럽게 자재부로 발령받았다. 시간이 지날수록 업무는 더 늘어갔고, 다른 여직원들도 차례로 사표를 던졌다. 결국 세 명이 하던 일을 그녀 혼자 떠맡게 되었다. '왜 나만 항상 이렇게 힘든 일을 도맡아야 할까?' 은서는 피곤함에 찌든 얼굴로 생각에 잠겼지만, 결국 불평 한 마디 하지 못한 채 그저 모든 상황을 받아들여야만 했다. 그렇게 은서의 삶은 계속해서 타인의 기대 속에서 흘러갔고, 이번에도 크게 다르지 않았다. 이전에도 그랬듯 그녀는 자기 목소리를 내지 못하고 주어진 환경에 순응하며 살아가고 있었다.

한편, 평소 은서를 예뻐하던 김 이사는 끈질기게 자신의 부잣집 친척 아들을 소개해 주겠다고 제안했지만, 은서는 그 제안에 전혀 마음이 움직이지 않았다. 마음 한구석에서 이사의 호의가 불편하게 느껴졌지만, 겉으로는 태연한 척하며 그의 시선을 피했다. 이사의 호의는 단순한 친절로만 다가오지 않았고, 은서는 그저 본능적으로 그 제안에서 한 발짝 물러서고 싶었다. 어느 날, 김 이사는 마치 작정이라도 한 듯이 은서 아버지의 직업을 물었다. 은서는 감정을 드러내지 않은 채 담담하게 대답했다. "개인택시 하시는데요." 그 순간 이사의 얼굴에는 당혹감이 스쳐 지나갔고, 그의 표정 변화는 확연하게 드러났다. "아, 그렇군요. 요즘 제조가 많아져서 원자재 수입 일이 참 많아졌죠? 다시 이야기합시다.”

그 후로 김 이사는 더는 친척 아들 이야기를 꺼내지는 않았다. 은서는 그 순간 자신의 배경이 그녀의 삶에 얼마나 큰 영향을 미치는지를 뼈저리게 실감했다. 그것은 단순히 선택의 문제가 아니었다. 은서의 배경이 누군가에게는 보이지 않지만, 분명하게 존재하는 기준이 되어버린 현실이 가슴 아프게 다가왔다. 아무리 자신이 노력하고 성취해도 태생적으로 부딪히는 보이지 않는 벽이 있다는 것을 체감했다. 은서는 속으로 씁쓸하게 웃었다. 진정으로 원하는 것이 무엇인지조차 잊은 채 남의 시선에 평가받는 존재가 되어버린 자신을 비웃듯 바라보았다. 날이 갈수록 주어진 일을 해내는 데 급급해져 가고 있었고, 마음속의 목소리는 그렇게 멀어져만 갔다.

새로운 길을 향한 도전

은서는 분주하게 돌아가는 사무실 속에서 답답함을 느꼈다. 무심코 창밖을 바라보았지만, 시야에 들어오는 것은 빼곡하게 늘어선 회색빛 건물들뿐이었다. 그 풍경은 그녀의 마음을 그대로 반영하는 듯 무채색으로 가득 차 있었다. 반복되는 일상이 목을 죄어오는 듯한 느낌에 지금 이 자리에 있는 자신이 과연 맞는지에 대한 회의감이 들기 시작했다. 그날도 어김없이 커피잔을 손에 든 채 양 과장의 눈치를 살피며 일을 하고 있었다. 평소와 다를 바 없는 하루였지만 문득 마음속에 새로운 생각이 번쩍 스치고 지나갔다. 창밖의 탁한 하늘을 바라보며 은서는 낯선 곳에서 새로운 언어를 배우고, 다양한 사람들을 만나며, 더 넓은 세상을 마주하고 싶은 강렬한 소망을 느꼈다. 그러자 익숙함 속에 멈춰있던 그녀의 심장이 그 순간부터 다시 힘차게 뛰기 시작했다. 그러나 그 꿈은 시작부터 커다란 벽에 부딪혔다. 꿈을 이야기하자마자 현실은 차갑게 은서를 맞았다. “어학연수? 그건 시간 낭비야. 그리고 남들이 다 부러워하는 그 좋은 직장을 그만두겠다고?” 아버지의 날카로운 목소리가 그녀의 귀를 사정없이 찔렀다. 어머니도 이번만큼은 강하게 반대했다. “여자애가 무슨 겁도 없이 혼자 외국을 가겠다는 거니? 위험하기도 하고, 좋은 직장을 다니면서 왜 그런 모험을 하려고 하니?” 가족들의 반응은 한결같았다. 모두 한 목소리로 은서의 꿈을 시간 낭비라며 깎아내렸다.

가족의 반대 속에서 흔들리던 은서에게 한 줄기 희망처럼 다가온 사람이 있었다. 바로 고등학교 시절부터 친구였던 혜성이었다. 중소기업에서 무역 일을 하며 다양한 해외 문화를 접해온 혜성은 은서의 꿈을 그 누구보다 잘 이해했고, 그녀에게 큰 힘이 되어 주었다. 혜성은 은서의 손을 꼭 잡고 힘을 실어주며 말했다. “은서야, 나도 어학연수 가고 싶었어. 우리 같이 가자.” 그녀의 제안에 은서는 벅찬 마음으로 고개를 끄덕였다. 혼자서는 두려웠지만 혜성과 함께라면 가능할 것만 같았다. 한 번도 집을 떠나본 적 없는 은서에게 그 제안은 두려움을 넘어서는 위안과 용기를 동시에 주었다. 그러나 그 희망은 오래가지 않았다. 얼마 지나지 않아 혜성에게서 전화가 걸려 왔다. 그녀의 목소리는 착잡하고 망설임으로 가득 차 있었다. "정말 미안해. 나 혼자서만 결정할 수 없는 문제라서…… 나 같이 못 갈 것 같아." 혜성의 말에 은서는 천천히 수화기를 내려놓으며, 마음속 깊은 곳에서 허탈감이 밀려오는 것을 느꼈다. 그렇게 간절히 바라던 꿈은 시작도 전에 물거품처럼 사라져 버렸다. 현실은 냉혹했고, 은서는 다시금 익숙한 자리로 돌아갈 수밖에 없었다.

그 후로 은서의 일상은 점점 더 견디기 힘들어졌다. 회사는 이제 그녀가 더는 버틸 수 없는 곳으로 변해가고 있었다. 후배 남직원들과 원만하게 지내왔지만, 그들 중 몇 명이 곧 은서의 상사가 될 예정이라는 사실은 그녀의 마음을 더욱 무겁게 했다. 특히 양 과장은 은서를 곤란하게 만들었다. 일에 서툰 남직원들이 실수할 때마다 그 책임은 늘 은서의 몫으로 돌아왔다.

"네가 선배니까 잘 챙겨서 실수하지 않게 해야지." 양 과장의 말에 은서는 내심 속이 뒤틀렸다. '내가 그 사람보다 네 살이나 어리고, 게다가 월급도 적고, 직급도 낮은데 왜 이럴 때만 내가 선배라서 챙기라는 거지? 그건 과장이 해야 할 일 아닌가?' 그러나 그런 생각을 속으로만 삼키며 차마 입 밖에 내지 못했다. 심지어 은서는 이미 네 명의 업무를 도맡아 처리하고 있었지만, 그런데도 계속해서 더 많은 요구가 이어졌다. 그녀의 가슴 속에서 억울함과 분노가 뜨겁게 끓어올랐다.

경리팀의 정 대리는 은서의 힘겨운 상황을 안타깝게 여겼다. 고민 끝에 평소 친분이 있는 양 과장에게 다가가 조심스럽게 말을 꺼냈다. "양 과장님, 은서 씨가 일을 잘하고 있지만, 요즘 너무 많은 업무를 떠맡고 있는 것 같아요." 양 과장은 의아한 표정으로 정 대리를 바라보며 되물었다. "아니, 갑자기 그게 무슨 말이야?" 정 대리는 설명을 이어갔다. "자재부에서 은서 씨가 끊는 전표가 무역부 여직원들 전체가 끊는 전표보다도 훨씬 많아요. 게다가 원래는 여직원 세 명이 하던 일이었잖아요. 또 지금은 원자재 수입도 엄청나게 늘었고요." 양 과장은 잠시 생각에 잠기더니, 한숨을 내쉬며 말했다. "그건 사실이지. 그래서 나도 전산실에 협조를 구해서 자동화할 수 있는 업무는 이미 처리했는데도 상황이 이러네. 그런데 정 대리도 요즘 회사 분위기 알잖아? 조 감사님 일로 가뜩이나 뒤숭숭한데, 이런 얘기까지 꺼내면 곤란해질 수도 있잖아." 그러던 중 계열사 임원의 딸이 새로 입사했다. 그녀는 은서가 그동안 보아온 수많은 여직원과는 사뭇 달랐다. 처음부터 남직원과 동등한 대우를 받는 모습에 은서는 깊은 고민에 빠졌다. 임원 딸의 입사 자체도 부당하게 느껴졌지만, 더 큰 문제는 여직원이 결혼하면 남직원들이 불편해한다는 이해할 수 없는 논리를 내세우며 퇴사를 강요하는 회사의 모습이었다. 그 광경을 보고 은서는 참을 수 없는 환멸을 느꼈다.

한편, 경리팀의 희경은 결혼을 앞두고 가장 인간적이라는 평판을 듣는 이 과장에게 조심스럽게 말을 꺼냈다. “이 과장님, 저 드릴 말씀이 있는데요.” 이 과장은 부드러운 미소를 지으며 대답했다. “희경 씨, 무슨 일인데요?” “사실 10월쯤에 제가 결혼을 하게 되어서요. 미리 말씀드리려고요.” “아, 그래요? 이거 정말 축하할 일이네요. 남자 친구랑 오래 만나더니 이제 결혼할 때도 되긴 했죠?” 이 과장은 평소처럼 친근한 말투를 유지했지만, 희경은 준비해 온 이야기를 꺼내기까지 긴장이 풀리지 않았다. 그녀는 용기를 짜내 다시 말을 이어갔다. “그래서 말씀드리고 싶은데요. 저는 결혼해서도 경리팀에서 계속 일하고 싶어요.” 그 말을 내뱉는 순간 희경은 이 과장의 표정이 굳어지는 것을 보았다. 그의 눈빛이 차갑게 변하더니, 목소리는 낮고 날카롭게 흘러나왔다. “아니, 희경 씨. 누구 잘리는 꼴 보고 싶어요? 희경 씨가 결혼해서도 계속 다닌다고 하면 내가 잘려요. 알겠어요?” 이 과장의 잔뜩 날이 선 말에 희경은 꼼짝없이 그 자리에서 얼어붙고 말았다. 혜택과 차별이 공존하는 회사. 은서가 속한 이 세계는 누구에게는 따뜻하고, 누구에게는 무자비했다. 희경의 굳은 표정을 본 은서는 자신의 자리에서 숨을 죽인 채 이 모든 상황을 지켜볼 수밖에 없었다.

며칠 후, 후배 미현이 다급하게 은서의 손목을 잡아채더니 회사 복도로 끌고 나갔다. 미현의 얼굴에는 긴장과 불안이 뒤섞여 있었다. "언니, 진짜 이상하지 않아? 우리 회사에 뽑히지도 않은 중국 대학 출신이 들어오고? 혹시 들었어? 글쎄 김나영 씨 아버지가 회장한테 딸 취업을 부탁하는 편지를 써서 들어온 거래. 비서실 선미가 그러더라고." 미현의 목소리에는 분노와 실망이 가득 담겨 있었다. 은서는 미현의 이야기를 들으며 조용히 고개를 끄덕였다. "그러게. 나도 얼마 전에 그런 얘기를 얼핏 들었어. 그런데 더 충격적인 게 있어. 경리팀 희경 언니가 결혼 후에도 계속 일하고 싶다고 했다가 이 과장이 '누구 잘리는 꼴 보고 싶냐?'고 하더라고." 미현은 깜짝 놀라 눈을 크게 뜨며 물었다. "정말? 이 과장이 그런 말을 했다고? 남직원들은 결혼해도 축하받으면서 일하는 데, 여직원들은 왜 결혼하면 회사를 그만둬야 해?" 은서는 깊은 한숨을 내쉬며 답했다. "그러니까. 포항공장 업무팀 윤숙 언니는 결혼도 안 하고 서른여덟 살인데도 계속 다니잖아. 그런데 그렇게까지 해야만 하니? 난 결혼도 하고, 결혼해서도 계속 일하고 싶은데……" 미현도 무겁게 고개를 끄덕이며 작게 탄식했다. "나도 그래. 우리 어떻게 해야 해?" 은서는 답답한 마음을 억누르며 무거운 목소리로 말했다. "어떻게 하긴 뭘 어떻게 해? 절이 싫으면 중이 떠나야지, 그거밖에 더 있겠어?" 그녀는 더 이상 미래가 보이지 않는 이 직장에서 하루빨리 벗어나고 싶다는 간절함이 더욱 커져만 갔다.

하지만 현실은 냉혹했다. 은서가 4년제 대학을 나오지 않았다는 이유로, 또 외국어 능력이 부족하다는 이유로 번번이 그녀를 외면했다. 어느 날, 한 남직원의 무심한 말이 그녀의 마음을 찔렀다. "그럼, 지금이라도 4년제 대학을 나오면 되잖아요." 그 말에 은서는 아무 말도 할 수가 없었다. 냉정하게도 사실이었기에 반박할 수가 없었다. 이제 현실을 마주해야 할 때가 왔다고 스스로에게 말했다. 가족에게 이야기를 꺼낸다면 또다시 좌절될 것이 뻔했기에 혼자 결정을 내리기로 했다. 사표를 쓸 각오로 학업에 도전했고, '회계' 공부에 뛰어들었다. 8년 만에 다시 시작한 학업은 쉽지 않았고, 직장 생활과 병행하는 것은 더욱 고됐다. 그러나 밤낮을 가리지 않고 노력한 끝에 전액 장학금을 받고 졸업할 수 있었다. 그녀에게 그 졸업장은 단순한 성과가 아니었다. 그동안의 고된 시간을 보상받는 듯한 기쁨과 함께 오랜 시간 억눌려 있던 자신감을 되찾는 계기가 되었다. 자신을 옭아매던 족쇄를 끊어낸 듯한 해방감이 그녀를 감싸며, 비로소 자유로워진 기분에 젖었다. 오래도록 꿈꿔왔던 자유와 성장은 이제 막 시작된 것이었다. 그녀는 자신을 가로막았던 벽들을 하나씩 넘으며, 더 넓은 세상으로 한 발 한 발 내디뎠다.

숨겨진 진실

은서의 남자 친구 서준은 언제나 그녀의 가족들에게 좋은 인상을 남겼다. 성실하고 반듯한 그의 모습에 은서의 부모님도 그를 마음에 들어했고, 그와 함께하는 시간은 늘 행복했다. 그러나 현실은 그리 단순하지 않았다. 어느 날, 은서의 아버지는 서준의 집안 형편을 알게 된 후 태도가 미묘하게 달라지기 시작했다. 그날 저녁 가족이 둘러앉은 식사 자리에서 아버지는 무겁게 입을 뗐다. 한참을 입맛을 다시며 천천히 말을 이어갔다.

"흠, 은서야. 서준이는 사람 참 훌륭하고 반듯한데…… 집 한 칸 없는 집안이라니 그게 말이 되냐? 우리 셋째 딸이 그런 집에 시집가서 평생 고생할까 봐서 걱정이다." 아버지의 목소리는 무겁고도 단호했다. 어머니는 조용히 수저를 내려놓고, 은서의 눈을 피하며 고개를 끄덕이며 덧붙였다. "맞아, 은서야. 네 언니들처럼 안정된 집안으로 시집가서 고생 안 했으면 좋겠어. 너만 그 어려운 집에 시집 보내는 게 마음에 걸려." 은서는 그들의 말을 차분히 들으려 했지만, 손끝이 서서히 떨려왔다. 마음을 애써 다잡고 최대한 차분한 목소리로 대답했다. "아버님도 계속 일하시고, 서준 오빠도 성실하니 저희가 힘을 합치면 잘 해낼 수 있을 거예요."

그러나 아버지는 은서의 말을 듣고 눈을 감은 채 길게 한숨을 내쉬며 고개를 저었다. "그게 말이 쉽지, 어디 쉬운 일인지 아니? 이렇게 너는 세상 물정을 모른다니깐." 아버지는 어린 시절부터 겪었던 지긋지긋했던 가난의 기억이 되살아난 듯 은서에게 역정을 냈다. 그 말은 그녀의 가슴에 무겁게 내려앉았다. 부모님은 서준이 아닌, 그가 속한 가난한 배경만을 바라보고 있었다.

은서는 결혼만큼은 사랑하는 사람과 하겠다는 결심을 굳혔다. 가족의 거센 반대에도 불구하고, 그녀는 서준을 선택했고 그와 함께 새로운 삶을 시작했다. 그러나 그 선택은 곧 경력 단절로도 이어졌다. 회사를 그만두고 집에 머물게 되면서 자연스럽게 '경력 단절'이라는 낙인이 찍혔다. 다시 일자리를 구하는 건 쉽지 않았고, 특히 아이를 낳고도 계속 일할 수 있는 직장을 찾는 건 더욱 어려웠다. 그러나 은서는 쉽게 포기하지 않았다. 수많은 도전 끝에 마침내 직장을 얻었지만, 그곳에서도 두 사람이 하던 일을 혼자 떠맡아야 했다. 그래도 그녀는 흔들리지 않았다. '한때 세 사람 몫의 일을 해냈던 내가 두 사람 몫을 못 할 리 없지.' 그렇게 마음을 다잡고 눈앞에 산더미처럼 쌓여 있는 일들을 하나씩 처리해 나갔다. 이전 직원들이 아무런 흔적도 남기지 않고 떠나버린 그 모든 혼란 속에서도 은서는 차분하게 묵묵히 자신의 역할을 해냈다. 조금 더 부지런히, 조금 더 강인하게.

그 후 몇 년이 지나 은서는 두 아들 도윤과 태윤을 차례로 낳았고, 마흔에 이르러 그토록 꿈에 그리던 딸 서윤을 품에 안게 되었다. '이제야 세상을 다 가진 것 같아.' 남편 서준과 세 아이와 함께

하는 이 순간, 은서는 모든 꿈을 이루어낸 듯한 벅찬 감정이 밀려왔다. 하지만 그 행복한 순간도 잠시, 서준에게 뜻밖의 기회가 찾아왔다. 대기업에서 오랫동안 일해 온 그가 지방의 한 대학에 전임교수로 추천을 받게 된 것이다. 그날 저녁 서준은 진지한 표정으로 말을 꺼냈다. “은서야, 한 교수님한테 연락이 왔어.” 은서는 궁금증이 커져 물었다. “왜 무슨 일이 있는 거야? 프로젝트 또 시작해?” 서준이 한참 뜸을 들이다가 천천히 입을 열었다. “아니, 그건 아니고 좋은 기회야.” “오빠, 무슨 일인데 이렇게 궁금하게 만들어? 빨리 말해봐.” 서준은 결국 어렵게 말했다. “음, 지방 대학에 정년 트랙 자리가 났는데, 한 교수님이 날 추천해 주셨어. 최종 결정까지는 시간이 좀 걸리겠지만…… 너 생각은 어때?” 은서는 잠시 고민에 빠졌다. 현재 직장은 그녀가 오랜 노력 끝에 얻은 만족스러운 자리였고, 곧 승진도 앞두고 있었다. 센터에서 중요한 역할을 맡고 있는 그녀에게는 소중한 일터였다. 잠시 머뭇거리며 대답했다. “아, 정말? 오빠한테 좋은 기회인 것 같은데, 나도 센터 일을 그만두기는 아쉬운데…… 회계 일도 나한테 잘 맞고, 전적으로 내가 다 책임지고 처리하니까 이 점이 무엇보다 만족스럽거든. 좋은 일이긴 한데, 진짜 고민되네.”

결국 서준은 지방 대학에서 전임교수로 일할 기회를 얻게 되었다. 은서는 지금의 만족스러운 직장을 포기하고 싶지도 않았고, 동시에 남편에게 찾아온 이 기회 또한 놓치고 싶지 않았다. 그래서 그녀는 주말부부 생활을 선택하며 힘겨운 나날을 견뎌내기로 했다.

은서의 아버지는 3남 2녀 중 차남으로 태어나 매우 영특했지만, 장남을 우선하여 공부시키는 가풍에 따라 차남인 그가 생계를 책임져야 했다. 그래서 그는 아쉽게도 초등학교를 마저 마치지는 못했다. 그런 그에게 서울대를 나온 큰 사위와 둘째 사위가 늘 자랑거리였다. 특히 서울대 박사과정을 마친 데다 집안까지 부유한 둘째 사위에 대해서는 더할 나위 없이 흡족해 했다. 반면에 은서의 결혼을 반대했던 아버지는 이제 셋째 사위가 교수가 되자 집안의 분위기는 일순간에 달라졌다. 어느 날 저녁 아버지는 누구보다 기뻐하며 밝은 표정으로 말했다. 그의 얼굴에는 오랜 걱정에서 벗어난 안도감과 만족감이 가득했다. "내가 뭐라고 했니? 김 서방을 처음 봤을 때부터 한눈에 알아봤지. 참 성실하고 반듯하더라고." 어머니도 그의 말에 화답하듯 함께 웃으며 덧붙였다. "맞아, 은서야. 자식 중에 네가 결혼을 제일 잘한 것 같아. 김 서방이 너한테도 잘해주고, 사돈댁도 좋으신 분들이잖니?" 아버지는 이어서 말했다. "그래, 이제 와서 말이지만 네가 학교를 다시 간다고 했을 때 얼마나 속이 터지고 답답했었는지 아니? 그래도 하나 잘한 일은 김 서방을 만나서 결혼한 거다. 그걸로 됐다." 은서는 아버지의 말을 조용히 듣고 있을 수밖에 없었다.

은서가 전문대를 졸업하고 대기업 자재부에서 고군분투하던 시절, 그녀의 마음에 깊은 상처를 남긴 한 사건이 있었다. 어느 날, 거실에 앉아 있던 은서는 안방 너머로 들려오는 어머니와 동네 아주머니들이 나누는 대화에 무심코 귀를 기울이게 되었다. "요즘 '자식 넷'을 다 '4년제' 대학 보내는 게 쉽지 않잖아요. 저희는 애들 공부만큼은 시켜야 한다고 생각해서 정말 알뜰살뜰 살았어요." 어머니의 목소리에는 자부심이 묻어났고, 그동안의 노고가 고스란히 느껴졌다. "그러게요. 학비가 정말 부담스럽죠. 정말 대단하세요." 한 아주머니가 감탄의 목소리로 응답했다. "한둘도 아니고 자식 넷을 다 그렇게 키우셨다니 정말 고생 많으셨겠어요. 그래도 모두 잘 자랐고, 공무원에 대기업까지 잘 다니고 있으니 얼마나 뿌듯하세요?" 다른 아주머니도 덧붙였다. 그 순간 은서의 심장은 철렁 내려앉았다. 자신이 철석같이 믿고 의지했던 어머니마저도, 그녀의 존재를 부끄럽게 여기고 부정하는 것처럼 느껴졌다.

'왜 어머니는 내가 전문대를 나왔는데도 굳이 4년제 대학 보낸 걸 자식 셋이 아니라 자식 넷이라고 강조하셨을까?' 도무지 이해할 수 없는 상황에 은서의 마음속에는 의문과 서운함이 얽혀 깊은 상처가 되어갔다. 늘 자신을 따뜻하게 감싸주던 어머니였지만, 그날의 대화는 은서를 낯설고도 외롭게 만들었다. 하지만 은서는 그 감정을 차마 드러낼 수 없었다. 어머니에게 왜 그런 말을 했는지 물어볼 용기조차 내지 못하고, 그저 가슴 속에 묻어두며 남몰래 한동안 아파하는 수밖에 없었다.

시간이 흐른 후 전문대를 졸업한 은서는 치열한 직장 생활 속에서도 꿈을 놓지 않았다. 다시 학업에 도전하려는 그녀의 결심은 예상대로 가족들의 반대에 부딪혔다. "직장도 잘 다니고 있는데, 왜 굳이 학교를 다시 가려고 하니?" "그냥 자격지심에서 그러는 거 아니니?" 가족들은 그녀의 결정을 이해하지 못했고, 그 노력을 시간 낭비라고 여겼다. 그런 상황에서도 은서는 흔들리지 않았다. 어려운 시간을 꿋꿋이 견디며 앞으로 나아가던 중 운명처럼 서준을 만나게 되었고, 그 만남은 은서의 인생에 있어 새로운 장을 여는 중요한 순간이 되었다.

은서는 문득 결혼 후에도 가끔 부모님 집에서 지냈던 시절의 기억이 떠올랐다. 그녀의 집안이 가난하기도 했지만, 돈을 굉장히 아껴 쓰는 집안이었다는 사실을 말이다. 다만 그 아낌은 은서와 두 언니, 은희와 은신에게만 해당되었고, 남동생 은찬에게는 전혀 다른 잣대가 적용되었다. 은서의 기억 속에는 은찬의 방에 가득한 장난감들이 생각났다. 공룡이 화려한 불빛을 내뿜으며 미사일을 발사하고, 웅장하게 움직이는 로봇들이 방을 지배하고 있었다. 반면에 은서와 언니들은 여자아이들이 흔히 갖고 놀던 마루 인형 하나조차 손에 쥐어본 적이 없었다. 그런 기억들은 여전히 은서의 마음속에 아픔으로 남아 있었다.

은서는 오랜만에 만난 후배 미현과 아늑한 카페에서 만났다. 커피잔에서 올라오는 따뜻한 김이 둘 사이의 공기를 훈훈하게 만들었다. 미현이 활짝 웃으며 먼저 말을 꺼냈다. "언니, 정말 부럽다.

열심히 하더니 이직에도 성공하고, 형부는 교수님까지 되고. 정말 축하해!" 은서도 미소를 지으며 대답했다. "고마워, 너도 좋은 기회가 곧 올 거야." 미현은 살짝 장난스러운 표정을 지으며 눈을 반짝였다. "그 회사에 내 자리도 하나 만들어 봐." 은서는 웃음을 터뜨리며 대답했다. "네 자리? 나도 그런 위치에 있으면 소원이 없겠네." 그러나 미현은 곧 진지한 표정으로 물었다. "나는 내 주변에 언니처럼 열심히 사는 사람을 본 적이 없어. 그런데 왜 언니는 정작 자신에게는 돈을 쓰지 않아? 언니한테도 투자란 걸 좀 해봐."

미현의 말에 은서는 잠시 멈칫했다. 커피잔을 들고 있던 손을 내려놓고, 창밖으로 어딘가 바쁘게 지나가는 사람들을 바라보며 깊은 생각에 잠겼다. '우리 집에서 가난이 몸에 배어 그런 건가?' 그 순간 평생을 따라다닌 가난의 그림자가 그녀의 삶에 얼마나 깊이 드리워져 있었는지 그제야 또렷이 보이기 시작했다. 은서는 그동안 얼마나 많은 것을 포기하고 살아왔는지를 떠올렸다. 가족을 위해 늘 자신을 뒤로 미루기만 했던 날들, 그리고 이제는 그 굴레를 벗어나야 할 때가 되었음을 느꼈다.

다시 일어서는 힘

결혼 후 은서의 하루는 끝이 보이지 않는 고단함의 연속이었다. 해가 지고 어둠이 짙어져도 집안일은 끝날 줄 몰랐다. 매일 밤 자정이 가까워서야 겨우 집안일을 마친 은서는 지친 몸을 간신히 침대에 눕혔다. 그러나 밤이 깊어질수록 아이들은 더 자주 은서를 깨웠고, 그때마다 그녀는 무거운 눈꺼풀을 억지로 들어 올려야만 했다. 몇 번이고 다시 눈을 감으려 했지만, 어느 순간부터 잠은 더 멀어져 갔다. 쌓여가는 피로는 끝없이 따라다니는 그림자처럼 몸에 들러붙어 떨어질 줄 몰랐다. 그런 은서에게 새롭게 시작된 주말부부 생활은 예상보다 훨씬 더 가혹했다. 그동안 의지했던 남편이 멀리 떨어져 있는 상황은 무거운 부담으로 다가왔다. 운전도 할 줄 모르는 은서가 세 아이를 혼자 돌보는 일은 하루하루가 고비였고, 아이들이 감기라도 걸리면 병원에 데려가는 사소한 일조차 이제는 버거운 일이 되었다. 6년 동안 이어지는 기약 없는 일상은 은서에게 끝없는 싸움과도 같았다. 밤이 깊어져 집 안이 적막에 잠기면, 그녀는 지친 몸을 소파에 기댄 채 깊은 한숨을 내쉬었다. '내가 언제까지 이렇게 버틸 수 있을까?' 그 물음은 마음속 깊은 곳에서 메아리치며 은서를 더욱 외롭게 만들었다.

그 싸움 속에서 은서는 점점 무기력해졌다. 음식을 씹을 때마다 모래알을 씹는 듯 입 안이 텁텁했고, 얼굴은 생기를 잃고 수척해졌다. 단순히 몸살이라고 생각했지만, 시간이 지나면서 단순한 피로가 아님을 알 수 있었다. 은서는 아무것도 할 수 없게 되었고, 어느 순간부터는 아무리 발버둥 치려 해도 몸이 말을 듣지 않았다. 젖은 솜처럼 무겁고 축 늘어진 자신을 바라보며 그녀는 되물었다. '마음의 감기라고 하던데…… 왜 하필 나에게 이런 일이 생긴 걸까?' 사람들은 은서의 고통을 단순히 먹고 살기 편해서 또는 게으름으로 치부할지도 모르지만, 그녀에게는 훨씬 더 깊고 억울한 고통이었다. 무엇보다 은서를 가장 두렵게 만든 것은 이 고통이 끝날 것 같지 않다는 점이었다. 끝이 보이지 않는 어둡고 긴 터널 속에 홀로 갇힌 기분이었다. 아무리 숨을 깊게 내쉬어도 그 어둠은 조금도 걷히지 않았다.

'누군가의 어머니로, 아내로, 딸로 살아가는 것만으로는 내 삶을 온전히 지탱할 수 없구나.'

새벽녘 은서는 더는 자신을 속일 수 없다는 사실과 마주했다. 고요한 어둠 속에서 혼자만의 시간이 흐르면서 그동안 억눌렸던 무거운 감정들이 한꺼번에 그녀를 덮쳐왔다. 자신을 인정하고 사랑하지 않으면 끝없는 어둠 속으로 빠질 것만 같았다. 침대 머리맡에 놓인 시계가 새벽 3시를 가리키고 있었다. 그 시계 소리는 은서의 마음을 자극하며, 매초가 지나갈수록 그녀를 압박하는 듯했다. 은서는 한참을 침대에 누워 뒤척이다가 결국 천천히 자리에서 일어나 침대 끝자락에 걸터앉았다. 잃어버린 꿈을 되찾아야만 했다. 그 꿈이 무엇인지 아직 분명하지 않았지만 희미한 희망이라도 붙잡으려 애썼다.

지금의 은서는 예전과는 매우 달랐다. 퇴근 후 집에 돌아오면 침대에 몸을 던지고, 무의식적으로 휴대전화를 집어 들어 유튜브

속 무수한 영상을 탐색하는 것이 유일한 일이 되었다. 화면 속을 무심하게 스크롤하는 그녀의 눈에는 더 이상 생기가 없었고, 모든 영상이 비슷하게만 보였다. 무기력의 늪에 빠진 은서에게 하루는 그저 흘러가는 시간에 불과했다. 그러던 어느 날, 한의사 원장의 조언이 그녀의 마음에 깊이 와 닿았다. 다른 조언들은 현실과 동떨어진 이야기처럼 느껴졌지만, 그 원장의 말만은 유독 달랐다. "지금 당장 움직일 힘도 없으실 텐데, 제가 1시간씩 운동하라고 해도 아마 못 하실 겁니다. 그게 당연한 겁니다. 우선 손뼉을 치면서 제자리걸음으로 딱 5분만 걸어보세요." 그의 말은 단순했지만 무기력한 은서에게도 도전해 볼 만한 작은 용기를 심어주었다. '나도 한 번 해볼까?' 그녀는 속으로 조용히 되뇌었다.

그 작은 움직임이 은서의 첫걸음이 되었다. 오래간만에 창문을 열고 들어오는 햇빛이 방안을 가득 채웠을 때, 그녀는 그동안 무심하게 여겨왔던 빛의 소중함을 느꼈다. 따스한 햇살이 피부를 스치며 잊고 있던 행복했던 기억을 다시 일깨워주는 듯했다. 무기력 속에 갇혀 있었던 은서는 잊고 지냈던 따뜻한 햇살이 얼마나 큰 힘이 될 수 있는지를 새삼 느낀 순간이었다.

은서는 다음날부터 매일 30분씩 걷기 시작했다. 처음에는 다리가 무겁고 발이 바닥에 붙는 듯했지만, 그녀는 희망을 품고 걸음을 멈추지 않았다. '3주 정도 지속하면 습관으로 자리 잡는다던데, 한 번 해보자!' 은서는 하루하루 걷기 시작한 날들을 달력에 스티커로 표시하며 1주, 2주, 3주가 흘렀다. 몸은 여전히 힘들었지만, 어느 순간부터 걷는 도중 입가에 작은 미소가 피어오르기 시작했다. 그 미소는 은서가 다시 몸을 회복하고 있다는 작은 성취를 상징했다. 이 성취는 그녀에게 더 나아질 수 있다는 희망을 심어주었다. 매일 아침 은서는 거울 앞에 서서 자신에게 속삭였다. '나는 해낼 수 있어. 내일은 오늘보다 분명 더 나아질 거야.' 처음에는 그 말이 낯설고 어색하게만 들렸지만, 은서는 계속해서 자신을 다독였다. 이제 그녀의 하루는 단순한 고통의 연속이 아니라, 자신을 회복하고 다시 일어서는 여정의 일부로 느껴졌다. 은서는 비로소 자신의 존재를 존중할 줄 아는 사람으로 성장하고 있었다.

자신을 찾아가는 길

은서는 그날 이후 차츰 자신을 돌보기 시작했다. 결혼 후 오로지 가족을 위해 살아온 시간을 되돌아보며, 이제는 자신의 삶에도 가치를 부여하기로 결심했다. 여태껏 당연하게 여겼던 일상에서 벗어나, 작은 사치나 여유를 허락하며 새로운 변화를 맞이하기로 했다. 그 변화가 그녀의 삶을 더 풍요롭고 의미 있게 만들어 줄 것이라고 믿었다. 이런 변화의 첫걸음으로 은서는 오랫동안 연락이 끊겼던 고등학교 친구들을 만나기로 했다. 육아와 가사에 지쳐 점점 고립되어 갔던 자신을 되찾기 위해 그들과 재회했다. 밝은 카페의 창가에 앉아 그동안 마음속에 쌓아두었던 무거운 짐을 솔직하게 털어놓기 시작했다. 그토록 참아왔던 감정이 한 순간에 터져 나왔고, 말없이 흐르는 눈물을 애써 감추려 했지만 결국 참아왔던 눈물이 왈칵 쏟아져 내렸다. 한 친구가 조심스럽게 말을 꺼냈다. “난 솔직히 집에만 있는 것보다 회사 다니는 게 성취감도 느끼고 좋아. 물론 아직도 힘든 건 맞지만, 그래도 조금씩 나아지고 있거든. 그런데 시댁에서는 자꾸 회사 그만두고 집에서 애들이나 돌보라고 하는데, 그 말 들을 때마다 너무 답답해.” 또 다른 친구가 고개를 끄덕이며 덧붙였다. “맞아, 난 회사 그만둔 걸 후회했어. 그때는 미련 없이 그만뒀었는데, 집에만 있으면 더 힘들더라고. 은서야, 너도 계속 다니는 게 나을 수도 있어. 일상생활을 유지하는 게 중요하더라고.” 세 번째 친구가 이어서 말했다. “모든 걸 혼자 다 하려고 하지 말고, 주위 사람들에게 도움도 요청해 봐. 특히 남편한테는 ‘같이 하자’고 해봐. 주말에는 남편에게 맡기고, 가까운 곳이라도 여행하면서 바람도 좀 쐬고. 분명 기분 전환이 될 거야.” 그들의 말은 은서에게 익숙하면서도 새로운 감정을 불러일으켰다. 자신들만의 방법으로 극복해 온 이야기들이 은서의 마음에 깊이 와닿아, 그녀에게 공감과 위로를 주며 앞으로의 삶을 더 나은 방향으로 이끌어 줄 나침반처럼 느껴졌다. 은서는 이제 앞으로 나아가야 할 방향을 머릿속에 하나하나 구체적으로 그려보았다. 삶에 대한 책임을 느끼며 그 안에서 새로운 가능성을 찾아갈 준비가 되어 있었다.

은서는 조금씩 다시 일상으로 돌아왔다. 그녀는 당연하게 누렸던 모든 것들에 감사하는 마음을 가지게 되었고, 그 감정은 더 깊어졌다. 잠들 수 있는 평범한 밤, 입 안에 감도는 음식의 맛, 그리고 무엇보다도 소리 내어 웃을 수 있다는 것, 이 모든 것들이 이제 은서에게는 새롭게 느껴졌다. 처음으로 인생을 경험하는 사람처럼 주변의 작은 일상조차 신비롭고 소중하게 다가왔다. 눈부시게 쏟아지는 햇빛은 이전과는 다른 빛깔로 은서를 비추었다. 그녀는 더 이상 자신의 약점을 숨기거나 부끄러워하지 않았다. 오히려 그 약점을 받아들이며 자신을 있는 그대로 사랑하는 법을 배워 나갔다. 은서는 자신의 강점만으로도 충분히 빛날 수 있다는 사실을 이해하고, 그 깨달음이 그녀에게 새로운 자신감을 불어넣어 주었다. 힘겨웠던 나날들은 여전히 그녀를 괴롭히곤 했지만, 그 고통마저도 자신을 성장시키는 밑거름으로 삼을 수 있다는 믿음을 갖게 되었다. 이제 은서는 그것들 덕분에 더 단단해지고, 더 많은 것을 배우게 되었음을 인정하게 되었다.

이후 은서는 외국인 센터에서 운영팀 팀장에서 사무국장으로 승진했다. 그 승진은 단순한 직책의 변화가 아니라, 새로운 삶의 시작을 알리는 신호였다. 책상 앞에 앉아 업무를 처리할 때마다 은서는 더 이상 완벽함을 추구하지 않기로 했다. 한때 매 순간 실수를 두려워하던 그녀였지만, 이제는 한계를 인정하고 스스로에게 관대해지기로 마음먹었다. '나는 이제 완벽할 필요는 없어. 그저 지금, 이 순간에 내가 할 수 있는 일을 하는 것만으로도 충분해.' 외국인 근로자들이 사무실로 들어올 때마다 은서의 눈빛은 부드럽고 따뜻하게 변했다. 그들을 상담하고, 교육하며, 문화 지원에 힘을 쏟는 시간은 그녀에게 특별한 의미로 다가왔다. 과거의 자신을 도와주는 듯한 애틋한 기분이 들었고, 그들에게 애정 어린 관심을 쏟을 때마다 충만한 감정을 느꼈다. 비록 익숙하지 않은 영어로 서툴게 소통했지만, 그 과정에서 이루지 못한 외국 생활에 대한 꿈이 조금씩 실현되는 것 같았다. 매번 새로운 단어를 배우고 문화를 이해하려는 그녀의 노력이 삶의 활력소가 되어, 그 작은 성취들이 은서를 앞으로 나아가게 했다. 새로운 사람들과의 소통에서 긍정적인 에너지를 얻는 경험은 은서에게 큰 기쁨을 안겨 주었다.

퇴근 후 은서는 예전처럼 집안일에 매달리지 않기로 했다. 이제는 시간을 조금씩 자신에게 돌려주기로 마음먹었다. 어릴 적부터 꿈꿔왔던 좋은 책들을 서재에 한 권씩 소장하며 마음의 양식을 쌓아갔다. 마음에 드는 책을 손에 쥘 때마다 오랫동안 쌓여 있던 갈증이 서서히 해소되는 기분을 느꼈다. 또한 아이들을 돌보느라 엄두도 못 냈던 글쓰기 수업에도 참여하기 시작했다. 이 글쓰기는 단순히 글을 쓰는 것을 넘어 은서의 마음을 다독이고 치유하는 시간이 되었다. 펜을 쥔 손끝에서 그녀의 내면 깊숙이 쌓인 응어리들이 천천히 풀려 나갔다. '하루에 조금이라도 나만의 시간이 꼭 필요해. 지금 나에게 필요한 건 마음의 안정과 휴식이야.' 은서는 다시

금 인생의 주인으로 살아갈 준비를 차근차근히 해나가기 시작했다.

한편, 은서의 딸 서윤은 어머니뿐 아니라 자상한 아버지와 두 오빠의 끝없는 사랑 속에서 매일 웃음이 끊이지 않는 행복한 나날을 보냈다. 어린 서윤의 마음속엔 자신이 가족의 한 축을 이루고 있다는 자부심이 깊이 자리 잡고 있었다. 은서가 그토록 바라던 '차별 없는 사랑'의 환경 속에서 서윤은 온전히 존중받으며, 밝고 건강하게 성장해 갔다. 서준은 은서의 아버지와는 달리 도윤과 태윤의 선물뿐 아니라 딸 서윤을 위한 정성 가득한 선물도 준비했다. 서윤이 기쁨에 차 아버지에게 달려와 안기는 모습을 지켜보는 은서의 얼굴엔 잔잔한 미소가 번졌다. 아이가 걷는 길이 평탄하다는 사실이 은서에게 따뜻한 안도감을 채워주었다. 오늘도 그녀는 삶의 굴곡을 딛고 앞으로 나아갈 준비를 하고 있었다. 과거의 아픔을 뒤로 하고 이제는 자신의 행복을 위해, 어제보다 나은 내일을 설계하고 있었다. 비록 앞날이 험난하고 예상치 못한 고난이 있을지라도 은서는 절대 포기하지 않기로 했다. 어릴 적 소중히 간직했던 소설가의 꿈을 다시 찾아 나서는 그녀의 마음은 더없이 단단했다. 책상 앞에 앉아 노트북을 켜며 은서는 마음속에서 피어오르는 희망을 가만히 느꼈다. '이제 내 삶을 다시 시작할 거야. 나를 위해서, 그리고 내가 사랑하는 사람들을 위해서.' 그녀의 손끝에 힘이 들어갔고, 새로운 이야기의 첫 문장이 노트북 화면에 또렷이 새겨졌다.

Epilogue : 사랑의 무게

어릴 적부터 나는 우리 집안에서 특별한 존재였다. 1남 3녀 중 막내 아들이었던 나는 귀한 보석처럼 소중히 다뤄졌다. 어머니를 닮아 작고 갸름한 얼굴, 그리고 뚜렷한 이목구비가 더해져 내 모습을 한층 더 사랑스럽고 빛나게 해주었다. 아버지는 특히 나를 유난히 아꼈다. 어머니와 누나들의 사랑도 크고 따뜻했지만, 아버지의 사랑은 절대적이었다. 아버지는 나에게 늘 가장 좋은 것을 주려 애썼다. 그 시절 쉽게 누릴 수 없는 것들을 어떻게든 내 손에 쥐여주고는 흐뭇한 미소를 지었다. 누나들은 종이 인형을 그마저도 나눠 쓰거나 가끔 손에 들린 사탕 하나로도 기뻐했지만, 나는 아버지의 사랑을 독차지하고 있었다. "와, 은찬이 또 새 옷 입고 왔네. 저 장난감 좀 봐. 진짜 멋지다!" "은찬아, 나도 장난감 한 번만 만져 보면 안 돼? 제발!" "은찬아, 나도!" "알겠어. 한 명씩 만져 봐. 대신 살살 만져야 해. 부서지면 안 된다." 처음엔 이런 상황이 당연하게 느껴졌다. 누나들과는 달리 백화점에서 산 옷을 입고, 다른 아이들이 부러워할 만한 장난감을 가지고 놀면서 아버지의 특별한 애정을 받을 때마다 내심 뿌듯했다. 하지만 어느 순간부터 그 사랑이 점차 부담으로 느껴지기 시작했다. 누나들과 함께 있는 시간이 점점 더 즐거워지면서, 그들과 나누고 싶은 마음이 더욱 커졌다. 그럼에도 아버지는 여전히 나에게 더 많은 것을 주고자 했다.

아버지는 어느 날, 집에 값비싼 전축을 들여놓았다. 전축이 도착하자마자 아버지는 가족들을 안방으로 불러 모았다. 모두의 눈에는 기대와 설렘이 가득한 순간이었다. 한눈에 보기에도 그 전축은 크고 화려하며, 자랑스러운 위용을 뽐냈다. 일곱 가짓빛의 무지개처럼 반짝이는 램프는 그 화려함을 더욱 돋보이게 했다. 음악이 흐르면 당장이라도 춤을 추거나 노래를 부르고 싶어질 듯한 분위기였다. 그러나 이어지는 아버지의 말은 모두를 놀라게 했다. “자, 은희, 은신, 은서야. 너희가 차례대로 이 마이크를 잡고 동생 은찬이에게 어떻게 잘해줄지 이야기해 보거라. 이 전축 녹음 기능도 훌륭하다더라.” “네?” 누나들은 당황한 표정으로 서로를 바라보았다. “아니, 여보……” 어머니도 당황해하기는 마찬가지였다. “어서 말해봐라.” 아버지의 목소리는 단호했다. “저는 은찬이한테 잘해주고, 공부도 잘 가르쳐 주겠습니다.” 은희는 목소리에 자신감을 담으려 애쓰며 말했다. “저도 은찬이에게 신경 많이 쓰고, 그림 그리는 것도 가르쳐 주겠습니다.” 은신은 살짝 굳은 얼굴로 말했다. 그녀의 눈동자에는 긴장이 감돌았다. “음, 저는 은찬이랑 잘 놀아주고, 또 항상 잘해주겠습니다.” 은서는 고개를 천천히 숙이며, 기어들어 가는 듯한 작은 목소리로 말했다. 그들의 모습을 지켜보고 나는 알게 되었다. 내가 누나들보다 더 특별한 존재로 대우받고 있다는 사실을 말이다. 그러나 그와 동시에 그게 옳지 않다는 것도 알 수 있었다. 누나들이 내게 아무렇지도 않은 척 웃어주는 미소 뒤에는 알 수 없는 서늘한 공기가 감도는 듯했다.

아버지는 종종 내게만 특별한 먹을 것을 사다 주었다. “은찬아, 이리 와봐라.” “네, 아버지.” “이것 좀 먹어봐라. 네가 좋아할 것 같아서 사 왔다.” “아버지, 고맙습니다. 근데 누나들 오면 같이 먹을게요.” “이 녀석아, 그게 얼마나 된다고 나눠 먹니? 어서 먹어라. 그래, 잘 먹네. 내가 아무리 힘들어도 이 맛에 산다니깐.” 아버지가 내게만 초콜릿을 주었을 때, 초콜릿이 입 안에서 달콤하게 녹아내리는 순간에도 마냥 즐겁지만은 않았다. 초콜릿을 맛볼 때마다 그 달콤함이 이내 씁쓸하게 변하는 듯한 기분마저 들었다. 그 후로 나는 아버지의 마음을 너무나 잘 알고 있었지만, 이런저런 핑계를 대며 나중에 먹겠다고 했다. 누나들과의 관계도 소중히 여겼기에 그들과 나누어 먹었던 초콜릿은 더할 나위 없이 달콤하게 느껴졌다. 그러나 아버지의 사랑은 그 모든 것을 압도했다. 마치 내가 특별해야만 한다는 무언의 압박처럼 느껴졌다. “너는 우리 집안의 보물이야.” 아버지의 이 말은 처음에는 자랑스러웠지만, 점차 그 말이 내 가슴 속에 큰 돌처럼 무겁게 자리 잡았다. 나는 점점 더 진정한 사랑이 무엇인지 특히 누군가에게 부담을 주지 않으면서 어떻게 사랑할 수 있을지 깊이 고민하게 되었다.

돌이켜보면, 내가 진정으로 바랐던 것은 누나들과 함께하는 평범한 삶이었다. 그들과 똑같이 존중받고, 작은 행복을 나누며 가족의 따뜻함을 함께 느끼고 싶었다. 그러나 아버지의 기대에 부응해야 한다는 압박감에 짓눌려 그 사랑이 축복이 아니라, 때로는 짊어져야 할 무거운 짐처럼 느껴지곤 했다. 이제 나는 내 가족을 바라보며 그때의 아버지를 떠올린다. 초콜릿을 먹을 때마다 아버지의 사랑을 떠올리며 그 달콤함을 되새기지만, 동시에 누나들과 더 나누지 못한 그 작은 조각들이 자꾸만 못내 아쉬워진다. 아버지가 내게 준 마음이 얼마나 컸는지는 알지만 그 사랑이 조금만 더 소박했다면 나는 누나들과 더 많은 것을 나누면서, 더 크게 성장할 수 있었을지도 모른다는 생각이 여전히 마음속에 남아 있다. 이런 생각에서 비롯된 것일까? 지금 나는 사랑하는 아내와 딸 하연이, 아들 하담이를 아버지와는 다른 방식으로 사랑하려고 노력하고 있다. 아버지처럼 특별한 무언가를 주기보다는 더 많은 시간을 함께 보내고, 서로를 존중하고 배려하는 마음을 가르치는 것이 내게 중요한 가치가 되었다. 아버지의 사랑을 충분히 이해하지만, 그 무게를 내 아이들에게 물려주고 싶지는 않다. 이것이 내가 아버지에게 배운 가장 소중한 교훈이자 내 삶의 목표 중 하나가 되었다.

| 10 |

구름 위로

하음

에세이

하음

책과 자연과 여행을 좋아하는 사람입니다. 책과 자연은 언제나 손을 뻗으면 닿을 수 있는 거리에 있지만 여행은 매일 마주 할 수 없어 나를 애닳게 합니다. 그래서 나를 언제나 여행을 꿈을 꾸는 사람으로 남아있게 하는지도 모르겠습니다. 지금처럼 꿈을 꾸는 것을 멈추지 않고 소중하게 그 꿈을 이루는 사람으로 남고 싶은 사람입니다.

구름 위로

Prologue_

비행기 창문 밖의 구름을 바라보며 책을 열었다. 구름 위를 날아가고 있는 이 순간을 기억하고 싶었다. 책의 맨 앞장을 펼쳤다. 그리고 여행지에서 시도해 보고 싶은 일들을 떠오르는 대로 적어 내려갔다. 시끄러웠던 비행기 엔진 소리가 서서히 잦아들며 고요해질 즈음에 그날의 여정이 떠올랐다. 그리고 이영하 작가님의 [여행의 이유]라는 책의 한 구절에 밑줄을 그었다.

"모든 여행은 끝나고 한참의 시간이 지난 후에야 그게 무엇이었는지를 알게 된다."

그때의 나는 알지 못했다. 이 여행이 내게 주는 의미를 알아차리지 못했다. 한 달 동안의 여정이 내게 준 것은 위로였고, 나를 알아가는 기쁨이었다. 나 자신을 새롭게 발견할 수 있게 해준 여행이었다. 내 존재를 좀 더 깊이 들여다볼 수 있었으며, 나를 조금씩 받아들일 수 있는 용기를 주었던 나날들이었다.

아직도 내 마음 한편에는 그 여행이 남긴 여운이 가득하다. 길을 걸으며 내 안의 또 다른 나를 마주했던 순간들, 따뜻한 미소로 나를 반겨주었던 낯선 이들, 그리고 함께 여행했던 동료들과의 소소한 대화 속에서 느꼈던 잔잔한 울림을 주는 연결의 순간들이 마치 어제의 일처럼 선명하다. 잊을 수 없는 여행의 신비함을 경험하고 싶은 사람들과 자신의 진정한 모습을 찾고자 갈망하는 여행자들이 다시 꿈을 꾸며 여행하기를 바라며….

 # 먹구름을 지나서

합격을 간절히 바라던 시험이 있었다. 몇 차례 시험을 치렀지만 계속해서 불합격 통지를 받았다. 그때 나는 반복되는 실패로 인해 지쳐 있었고, 답답함과 막막함 사이에서 허우적거리고 있었다. 부모님의 기대를 저버리고 싶지 않다는 생각과 내가 설정한 합격의 기준에 도달하지 못하면 실패자가 될 거라는 불안감이 나를 짓눌렀다.

공부에 집중하는 것은 점점 어려워졌고, 시간이 지날수록 성적은 떨어졌다. 아무것도 하고 싶지 않았고, 누구에게도 내 마음속 깊은 고민을 털어놓지 못했다. “엄마, 나 너무 힘들어.” “이제 더는 못 하겠어.” 이 한마디를 했었더라면 괜찮았을 텐데, 그 말을 끝내 엄마에게 전하지 못했다. 그렇게 고민과 방황의 시간이 겹겹이 쌓여갔다. 시험을 포기한다고 말하지 못한 이유는 엄마의 간절한 소원이라고 생각했었기 때문이다. 그 바람을 이루어 주는 것, 그것만이 내가 반드시 해내야만 하는 일이라고 생각했다. 시험을 포기해 버리는 것은 나를 보살펴 주고 힘들게 살아온 엄마에게 보답하지 못하는 일이라고 여겼다. 엄마의 바람을 이뤄내지 못하면 마치 내 존재가 부정당할 것 같은 두려움에 사로잡혀 있었다.

가장 가까운 엄마에게도, 스스로에게도 솔직해지는 법을 몰랐다. 내 감정과 생각을 있는 그대로 받아들이고 자신에게 위로를 전하는 방법을 알았더라면, 방황의 시간이 그토록 길지는 않았을 것이다. 무거운 짐을 짊어진 채, 힘들다고 외치는 마음의 소리를 무시하고 덮어두며 일상을 가까스로 버텨냈다.

5년이라는 기나긴 시간 동안, 부정적인 감정과 생각들이 곧 나 자신이 되어 버렸다. 먹는 것도, 사람을 만나는 것도 모두 귀찮아졌다. 계속 잠만 자고 싶었다. 아주 지독한 우울증이었다. 이유 없이 슬펐고 모든 일들이 공허하게 느껴졌다. 처음으로 겪는 캄캄한 감정들이 다가와 나를 조금씩 집어삼키는 듯했다. 우울의 시간 속에서, 빽빽하게 나를 둘러싼 현실로부터 도망칠 수 있는 계기가 절실히 필요했다. 힘들다는 말 한마디 하지 않았지만, 누군가는 나에게 일상을 벗어나 쉼이 필요한 것을 알아차렸던 것 같다.

“한 달 동안 미국 시카고에서 대학교도 가보고 여행도 하는 프로그램이 있어 너도 신청해 보는 게 어때?” 선배의 말 한마디가 어찌할 바를 모르고 주저앉아 있는 나를 일으켜 주는 구원의 손길처럼 느껴졌다. 숨 막히고 고통스러운 이곳을 떠나기로 했다.

 # 하늘 아래, 은빛 구름문으로

한국에서 출발해 13시간의 비행을 마치고 미국에 도착했다. 입국심사대 줄에 서서 기다리는 동안, 초조한 감정이 밀려왔다. 애써 평정심을 유지하려고 심호흡을 반복했다. 곧이어 심사관이 여행하는 목적을 물었고, 준비한 대로 단순한 관광으로 한 달 동안 머물 것이라고 대답했다. 푸른 눈의 창구 직원은 형식적으로 몇 가지를 묻고 마지막에 희미하고 옅은 입가의 웃음을 날리며 손을 흔들어줬다. 지쳐 보이는 짧은 미소였지만 그 작은 친절 덕분에 먼 타국땅에서 한 달간의 여행이 ‘다행이다’라는 안도감으로 시작할 수 있게 되었다.

지금까지 보았던 풍경과는 전혀 다른 모습이 눈앞에 펼쳐졌다. 하늘의 색깔조차 이전에는 본 적이 없는 선명하고 투명한 파란색이었다. 낯선 곳에서 느껴지는 7월의 여름 공기는 산뜻한 느낌이었다. 첫 해외 여행을 시카고, 미국에서 지낼 수 있게 되었다는 기대감과 설렘이 가득 찬 기분 때문에 그런 것인지는 알 수 없지만, 그곳은 영화 속의 한 장면에 내가 들어와 있는 듯한 착각을 불러일으키는 도시였다. 오직 나만을 위해 준비된 장소에서 소설 속의 주인공처럼 미지의 땅을 모험하는 일을 상상하며 두근거리는 밤을 맞이했다.

다음날, 여행 안내자는 시카고에 오면 꼭 봐야 하는 밀레니엄 파크로 우리를 데리고 갔다. 햇살에 눈이 부셔 하늘을 쳐다보기 힘들 정도로 맑고 쾌청한 날씨였다. 싱그런 초록색 잔디 위에 은빛을 가진 콩 모양의 조형물이 반짝거리고 있었다. 가까이 다가가서야 그 물체가 콩 모양이 아니고 구름을 표현한 예술 작품이란 걸 알 수 있었다.

"클라우드 게이트"

이 작품은 영국 출신의 조각가가 디자인했으며 2004년에 완성되었다. 스테인리스를 이어 만든 입체 조형물로 시카고의 명소 중 하나라고 했다. 클라우드 게이트라는 이름답게 하늘과 땅을 이어

주는 문이라는 의미를 담고 있다고 했다. 내 시선은 클라우드 게이트 앞에서 멈췄고, 내 생각도 하늘 위가 아닌, 하늘 아래 펼쳐져 있는 둥근 뭉게구름에 기대어 있었다. 자연의 풍경에 감싸인 채 미술 작품을 감상하는 것은 시카고 미술관이 풍기는 잔잔하고 차분한 분위기 가운데 관람하는 것과는 미묘하게 다른 느낌이었다. 그곳에는 자연이 줄 수 있는 지저귀는 새소리도, 향긋한 풀과 녹색의 나무 내음을 전달해 주는 바람의 향기도 있었다. 드넓게 펼쳐져 있는 풀밭에 여유롭게 휴식을 취하거나 사랑을 나누거나 조용히 독서하는 사람들이 클라우드 게이트 안에 들어 있었다.

클라우드 게이트는 주변의 풍경을 모두 담을 정도로 거대했다. 수십 명의 사람을 품을 수 있을 만큼 그 넓고 커다란 공간은 수십 개의 스테인리스 패널로 연결되어 있다. 금속을 이어 붙여 빛나는 창작물이 탄생 되었다. 작품 안의 작품이라는 말이 어울리는 독특한 조형물이었다. 클라우드 게이트는 푸른 하늘 위에 있는 흰 뭉게구름을 땅으로 가져와서 볼 수 있게 해주었다. 구름을 보려면 항상 고개를 들고 하늘 위를 쳐다보아야 했는데, 클라우드 게이트는 고개를 위로 젖히지 않아도 내 시선에서 하늘과 구름을 마음껏 볼 수 있었다. 구름이 땅으로 내려온 듯 보였다.

영롱한 빛을 띤 금속 덩어리 안으로 들어갔다. 표면에 반사된 내 얼굴을 응시하다 생각에 잠겼다. 모든 게 낯선 이곳에서 갑자기 밀려드는 먹구름처럼 떠오른 생각과 감정들이 내게 말하고 있었다. 감당하기 어려운 일들을 그만두고 싶다고 말해야 한다고, 버겁고 힘겨운 일들이 생길 때, 포기하고 싶을 때, 있는 그대로 그 감정과 생각을 표현해도 괜찮은 거라고….

숙소로 돌아와 자료를 찾아보니 클라우드 게이트가 제작되고 완성되기까지 2년의 세월이 걸렸고 100명이 넘는 사람들이 동원되었다고 한다. 높이는 약 10m 길이가 13m, 폭도 20m나 되었다. 하나의 작품이 탄생하기까지 168개의 조각을 정교하게 연결하고 이음새나 모난 부분이 없도록 용접하고 연마하는 일은 어려운 작업이었을 것이다. 디자이너, 엔지니어, 금속 가공 전문가, 연마 작업을 하는 전문가까지 포함해서 수많은 사람이 같은 목적을 가지고 이 조형물에 정성과 노력을 다했을 것이다.

한 개의 조각품도 이렇게 많은 손길이 지나갔는데 지금까지의 나의 하루를 한 개의 조각이라고 본다면 내 인생은 클라우드 게이트보다 훨씬 커다란 작품이 될 수 있지 않을까? 무겁고 차갑고 어두운 시간의 조각도 밝고 따뜻하고 가벼운 생각의 조각도 하나하나 값지고, 필요한 일 이었음을 희미하게나마 알 것 같았다. 나의 하루, 하루에 만나게 되는 모든 사람이 나를 정성껏 만들어 내고 있다는 생각이 들었다. 모든 일상의 일들이 각자의 의미를 갖고 하나하나 정교하게 연결 되어내 삶을 구성하고 있다며, 은빛 구름이 전해주는 눈부신 위로의 소리를 마음속 깊이 새겼다.

 # 맨발과 파도, 반딧불이

시카고 극장, 존 핸콕센터, 크라운 분수까지 굵직굵직한 시카고의 주요 명소들을 돌아본 후 저녁노을이 사라질 즈음 숙소로 돌아가기 위해 버스를 탔다. 버스 안은 조용했다. 여행에 들뜬 우리들은 외국인들이 힐끗거리는 시선에 아랑곳하지 않고 한국말로 재잘댔다. 갑자기 일행 중 한 명이 다급하게 내려야 한다고 외치기 전까진 말이다. 웃음기 가득하던 얼굴들이 굳은 표정으로 변했다. 영어로 의사소통이 가능한 선배가 기사에게 구글 지도를 가리키며 물어보았다. 버스를 잘못 탔고, 다음 정거장에 내려서 버스를 두 번 갈아타면 된다는 대답을 들었다.

긴장된 분위기 속에서 우리는 이내 말이 없어졌고 다음 정거장에서 버스가 멈추기만을 기다렸다. 나는 곧바로 구글 맵을 켜서 숙소를 목적지로 검색했다. 찾아보니 2개의 선택지가 나왔다. 두 번 버스를 갈아타는 경로와 40분쯤 걸어서 가는 경로였다. 도보로 가는 것이 시간이 걸리지만 복잡하지 않았고 직진만 하면 되었기에 걷기로 했다. 잠시 후 우리는 버스에서 내릴 수 있었다. 버스에서 내리자마자 누군가 이렇게 말했다. "이게 여행이지! 이런 일들이 있어야 추억이 더 많아지는 거야!" 모두 편안한 얼굴로 다시 웃음을 되찾았을 때, 문득 이런 생각이 스쳐 지나갔다.

'한국에서라면 버스를 잘못 타거나 길을 헤매거나 하는 일은 없었는데, 여행을 통해서 이런 일도 겪어보네… 계획했던 일에서 벗어나 실수해도 웃을 수 있는 건 혼자가 아니고 함께이기 때문이겠지.'

길거리 중간마다 주황빛의 가로등 불빛이 도심의 고요함을 밝혀주고 있었다. 어두운 밤이었지만 혼자가 아니었기에 무섭지 않았다. 한참을 걸었을까? 발에 약간의 통증이 올라왔다. 신발도 너무 무겁게 느껴졌다. 가로등 불빛에 멈춰서서 신발을 벗고 걸었다. 발이 날아갈 듯 가벼워졌다. 신발 하나 벗었을 뿐인데, 나를 따라 여행 동료들이 하나, 둘씩 신발을 벗고 걸으며 함께 홀가분한 기분을 만끽했다. 한 번도 해본 적 없는 행동이었다. 매사에 조심스럽고 주변의 눈치를 살피고 신경 쓰던 나에게서 탈출하는 순간이었다.

발이 아프고 답답해서 거추장스럽게 느껴진 신발을 벗은 것뿐이었다. 뒷일은 생각하지도 않고 거리낌 없었던 작은 움직임이 나를 자유롭게 했다. 깜깜한 밤의 도심의 길거리에는 위험한 물체가 있을 수도 있었고, 다칠 수도 있었다. 말이 제대로 통하지 않는 나라에서 혹시나 위험한 상황들이 생길 수 있었지만, 그날 밤 그곳에서는 그런 생각이 들지 않았다. 늘 걱정이 앞서 미리 계획을 하지 않으면 불안했던 나, 바짝 움츠러든 상태에서 소심하게 이 사람 저 사람의 기분을 살피며 행동했던 나였다. 그런데, 처음 경험한 자유로운 감정이 나를 오롯이 나 자신으로 살아있게 해주는 느낌이었다. 무겁게 나를 짓누르던 그 어떤 것으로부터 해방되는 순간이었다. 지금도 여전히 생생하게 떠오르는 맨발의 촉감이 이 여행을 기억하는 이유가 되었다.

이른 저녁을 먹고 흐릿해진 날씨와 검푸른 구름 때문에 노을을 보지 못하는 아쉬운 마음을 뒤로하고 미시간 호수에 걸어서 가보기로 했다. 그날 이후 걷는 것이 좋아졌다. 그리고 우리나라에서는 좀처럼 보기 힘든 독특한 건축양식을 가진 건물들과 사람들, 이국적인 거리의 풍경을 기억 속에 오래도록 간직하고 싶어서 빠른 택시나 버스보다는 느린 걷기를 선택했다. 천천히 걸으면서 시카고 도시의 장면들을 하나씩 소중하게 눈에 담았다.

숙소에서 미시간 호수까지는 30분의 거리로 산책하기에 적당했다. 바람이 선선하게 느껴지는 날씨이기도 해서 카디건을 하나 들고 호수로 발걸음을 옮겼다. 선배는 숙소에서 쉬기로 했고 미시간 호수를 보기 원했던 친구와 같이 둘이 걷기로 했다. 예상외로 미시간 호수에는 사람들로 북적였다. 이름이 분명 미시간 호수인데 마치 바닷가처럼 모래사장이 끝도 없이 펼쳐져 있었다. 수영복을 입고 느긋하게 수영하는 사람들, 모래를 가지고 노는 어린아이들, 연인과 가족들이 군데군데 자리를 잡고 휴식을 취하고 있었다.

제법 거세지는 바람이 머리카락을 휘날리게 했다. 파도도 점점 높게 일렁였다. 나는 자연스럽게 신발을 벗고 맨발로 해변을 거닐었다. 고운 모래 알갱이가 발가락 사이로 들어와 인사하는 듯했다. 파도의 흰 거품이 모래 위를 지나 빠르게 내 맨발에 활기차게 닿는 순간, 또 다른 행복감이 찾아왔다. 검푸른 호수의 물의 색과 하늘의 색이 비슷해질 즈음 우리는 다시 숙소로 걸음을 옮겼다. 20여 분 지났을까…. 주변은 더욱 깜깜해졌다.

숙소로 돌아가는 길목에 있던 작은 공원은 동화 속에나 나올 법한 요정의 숲으로 변해 있었다. 평범했던 공간이 누군가 마법을 부린 것처럼 특별한 곳으로 변해 있었다. 반짝거리는 작은 생명체가 빛을 내며 어둠 속의 적막한 공원을 비추고 있었다. 그 어떤 곳에서도 한 번도 경험해 보지 못한 자연의 신비함을, 그 생소한 곳에서 우연히 마주쳤을 때의 황홀함이란 말로 표현하지 못할 감정이었다. 초록빛과 노란빛이 섞여 있는 작고 조그마한 반딧불이가 여기저기서 떠올라 날아다녔다. 풀벌레 소리에 연이어 나타난 반딧불이가 우리의 길잡이가 되어 주었다. 아주 작은 빛들의 뭉치가 흩날리는 민들레 꽃씨처럼 떠다녔다. 한참을 그곳에서 반딧불이가 스르르 사라질 때까지 눈을 떼지 못했다. 눈앞에서 아른거리는 반딧불이를 두 손으로 잡아본 일이 꿈속에서의 일 같이 느껴졌다. 숙소로 돌아와 흥분을 감추지 못하고 쉬고 있던 동료들에게 반딧불이를 보았던 일을 쉴 새 없이 말했다. 동행했던 친구가 없었다면 아무도 믿어주지 않았을 일이었다. 처음으로 반딧불이를 보았던 그 벅차오르는 감정이 한동안 가시지 않았다. 시카고에서의 얼마 남지 않은 밤이 깊어지고 있었다.

구름이 번개로

시카고의 피자와 스파게티가 느끼해서 김치가 절로 생각날 무렵 선배 언니가 맛있는 불고기로 요리를 해주었다. 선배는 마트에 가서 장을 보고 혹시 쓰일까 싶어 챙겨온 양념장들을 고기에 재워 놓고 나를 바라보며 이렇게 말했다.

"내가 미국 땅 한복판에서 한식을 만들 줄이야 상상도 못 했어."

빙긋이 미소 지으며 요리하는 언니의 뒷모습에는 엄마와 같은 포근한 사랑이 언뜻 보이는 듯했다. 오랜만에 먹는 집밥의 음식들은 나의 허기를 달래 주었을 뿐만 아니라, 몸이 회복되는 맛이었다. 그리고 각자만의 시간이 주어졌다. 한식을 먹은 탓이었을까?

아니면 엄마의 손맛이 느껴지는 선배의 따뜻함이 때문이었을까? '한국에 돌아가면 현실에서 감당해야 하는 문제들이 나를 기다리고 있을 텐데….' 어둡게 그늘진 마음 한구석에 정리되지 않고 미뤄두었던 일들이 불청객처럼 찾아왔다. 돌아가면 어떻게 해야 하는지 점점 짙어지는 걱정의 먹구름들이 몰려왔다.

미국에서의 마지막 날 밤, 그동안 핸드폰으로 찍은 사진과 수첩에 적은 기록을 보며 한 달을 되짚었다. 클라우드 게이트 사진에 눈길이 멈춰졌다. 고민하고 아파하고 힘들었던 지난 시간이 한 순간씩 스쳐 지나갔다. 일상으로 돌아갔을 때 어떻게 해야 하는지 머리가 지끈지끈 아파져 왔다. 내일의 순조로운 비행 일정을 감당하려면 충분히 자야 하는데 잠이 오지 않았다. 몸을 뒤척이며 겨우 잠을 청하려던 순간 내 귀를 의심케 하는 한 번도 들어보지 못한 엄청난 울림을 들었다. 우르르 쾅쾅 천둥·번개가 치기 시작했다. 시카고 한복판의 도심을 때리며 모든 사람을 깨우는 소리였다. 열린 창문 밖으로 보이는 길고 선명한 번개 빛은 천둥소리와 거의 동시에 도시의 땅에 내리꽂혔다. 갑작스러운 바람과 비를 동반한 거대하고 엄청난 소리와 번개 빛이 순식간에 번쩍이며 나타났다. 미국의 영토가 크고 넓어 천둥·번개도 이처럼 거대한 규모일까? 넋이 나간 나는 번개를 바라보다 점점 크게 울리는 천둥소리에 귀를 막았다. 더워서 열어놓은 창문을 통해 세찬 빗물이 쳐들어왔다. 이불과 베개의 주변은 금세 물바다가 되었다. 세 사람이 달라붙어

서야 겨우 거센 바람과 비를 막아낼 수 있었다. 바닥에 흥건한 빗물을 닦고 축축하게 젖은 이불을 드라이기로 말리던 그 밤의 야단법석이 함께 여행하는 즐거움을 더욱 또렷하게 장식해 주었다. 새벽 1시, 우리는 서로의 얼굴을 보며 동시에 웃음을 터뜨렸다.

구름이 번개로 변할 때 구름 내부는 극도로 불안정 상태라고 한다. 물방울과 얼음 입자가 구름 속에서 부딪혀 전하를 만들어 내며 요동치면 구름에 가득 차버린 전하는 결국 밖으로 터져 나온다. 그 순간, 엄청난 에너지를 가진 번개가 탄생한다. 번개가 친 하늘은 다시 맑아지고, 더 단단한 구름이 만들어진다. 구름이 번개로 변화하는 과정이 내 마음의 상태와 매우 닮았다고 생각했다. 그렇게 하루에도 수십 번씩 기뻤다, 슬펐다, 기대했다, 실망했다, 화를 내곤 했다. 마음들이 여기저기서 부딪힌다. 내면의 요란하고 어지러웠던 소리가 위대한 자연의 소리 앞에서 일제히 조용해졌다.

시카고 그 이후

강렬한 번개 빛의 잔상이 아직도 눈앞에 아른거렸다. 하지만 다시 삶의 자리로 돌아와 일상의 일들을 반복해 나갔다. 여행은 여행이었고, 내게 주어진 하루는 평범한 하루였다. 한 달 동안 경험했던 것, 깨달았던 일들에 대해 아무에게도 이야기하지 않았다. 떠들썩하게 여행에서 겪었던 것들에 대해 말하고 싶지 않았다. 시카고에서의 생활을 궁금해했던 친구와 가족들에게는 "너무 좋았지" 이 한 문장으로 대답했다. 여전히 나는 내 속에 있는 것들을 말로 표현하는 것에 서툴고 힘겨워하는 사람이었다. 여행의 기억들은 마음의 보관함에 자물쇠로 잠겨진 채로 그렇게 오랜 시간이 흘러 지나갔다.

매연 가득한 서울의 차가운 공기가 휘몰아치며 빠르게 나를 밀어붙이고 있었다. 경쟁하며 분주하게 움직이는 사람들의 발걸음에 맞추어 내 걸음도 빨라졌다. 지하철을 기다리다 내 신발을 바라보았다. 굽이 낮고 딱딱한 검은색 단화, 오래 신어서 구두 밑창이 닳아 있었다. 235에서 240치수 중간의 발 길이에 발볼이 넓어서 딱 맞는 신발을 찾기에 매번 힘겨웠었다. 오래 신어도 때가 덜 타는 신발로, 튼튼한 검은색 운동화로 바꾸고 싶었다. 맨발로 걸었던 시카고의 거리가 생각났다. 서울의 거리에서는 맨발로 다닐 용기가 생기지 않았다. 오히려 신발을 신고 있어야 안심이 되었다.

내 발을 보호해 줄 수 있는 새로운 신발이 필요했다. 지하철에서 나와 근처 신발가게로 들어갔다. 구두, 샌들, 슬리퍼, 높은 굽이 있는 힐, 운동화까지 신발들이 가지런히 진열되어 있었다. 검은색 운동화 2~3켤레를 골라 신어 보았다. 발에 편안하고 푹신한 굽이 있어 뛰어도 발에 충격을 덜 줄 수 있을 것 같은 운동화를 선택했다. 착용하고 있었던 빛이 바래져 낡아버린 불편한 구두는 신발가게에 버리고 나왔다. 그리고 새 신발로 단숨에 집까지 달려갔다.

Epilogue_

현재의 삶으로부터 도피해 여행으로부터 얻고 싶은 게 있었다. 어떤 해결책을 바라고 간 건 아니었지만 다시 일상의 삶으로 돌아왔을 때 멋지게 변해 있는 나를 꿈꿨던 것 같다. 인생을 변화시키는 특별한 사건이나 만남을 기대했다. 거창하고 화려한 여행에 대한 환상이 있었다. 그런데 여행을 다녀온 이후에도 내 현실은 변하지 않았고, 얽힌 실타래를 풀어야 하는 문제들은 여전히 나를 기다리고 있었다. 다만, 내가 할 수 있는 만큼 노력했다면 어떠한 결과라 하더라도 받아들이기로 결심했다. 발이 아프고 답답할 정도로 꽉 조여진 신발은 더 이상 신지 않기로 마음먹었다. 그렇게 부족한 나를 있는 그대로 인정하는 첫걸음을 내디뎠다.

시카고 여행을 시작으로 '벗어남'으로부터 얻게 되는 여행의 소소한 깨달음이 그리워져 계속해서 탈출을 시도 했다. 그 후로 해외에 나가 몇 번의 또 다른 나를 발견하고 알게 되었다. 여행을 마치고 돌아오면 곳곳에 흩어진 조각이 하나둘씩 모여 마치 내가 확장되는 듯한 느낌을 받는다. 경험하지 못한 것들을 접하게 되면 타인을 바라보는 시선과 생각이 넓어진다. 그래서 나를 마주하는 마음에 힘이 생기고 다른 사람을 이해하고 포용하는 능력이 생겨난다.

여행의 묘미는 여행의 시작과 끝, 하늘길 위 구름 속에 있었다. 비행기 안에서 여정의 출발을 설레며 보내는 시간 그리고 여행의 끝을 아쉬워하며 돌아오는 시간 가운데 걸쳐져 있다.

여행이 주는 새로움 때문에 언제든 떠나고 싶을 때 떠날 수 있는 삶을 꿈꾸게 되었다. 오늘 하루를 살아내야 하는 현실은 여전하지만 꿈을 꿀 수 있는 그것만으로도 가슴이 벅차다. 두근거림과 그리움이 반복되는 '떠남'이 계속되기를 열망해 본다.

늦었지만, 괜찮았어!

펴낸날 | 2024년 11월 8일
지은이 | 가림 김인숙 무게윤 박지연 서로 송성아 오미정 이유정 천향 하음
펴낸이 | 임우근
펴낸곳 | 글로서기
출판등록 | 2023년 5월 17일(제2023-000166호)
주소 | 서울시 강남구 논현로 97길 19-1, 1층 (역삼동)
홈페이지 | geulroseogi.co.kr

ISBN 979-11-94157-08-3

이 책은 논산시 연무도서관 시민작가 프로그램 및 글로서기의 책쓰기 프로젝트를 통해 만들어졌습니다.